Bienvenu en France 1

First Year French Course

Joseph Dunne MA, HDE

Editor: Aisling Hanrahan

Inputting: Sheila Gartlan

Design and Layout: Karen Hoey

Illustrations: Maria Murray, Jenni Desmond and Lynne Reece-Loftus

Cover design: Karen Hoey

© 2011 Joseph Dunne
Folens Publishers
Hibernian Industrial Estate
Greenhills Road
Tallaght
Dublin 24

ISBN 978-1-84741-829-6

Table des matières

Acknowledgements

The author is grateful to the many people without whose expert assistance the production of **Bienvenue en France 1** would not have been possible.

In particular, a special word of appreciation and thanks is extended to the following:

- Margaret Burns, Publishing Manager, Folens;

- Aisling Hanrahan, Editor, for all her expert and dedicated work;

- Karen Hoey for working so skilfully on the layout and design;

- Maria Murray, Jenni Desmond and Lynne Reece-Loftus for the illustrations;

- Céline Clavel for proofreading the text and CD script;

- Niamh O'Sullivan and Susan Johnson for the onscreen eBook and digital resources;

- Sheila Gartlan for the typesetting;

- Dervla Murphy for helpful suggestions at the planning stage;

- Odette Gabaudan for assistance with the planning and drafting of the text;

- Paul Waldron and staff of All Right Media for studio recording of CDs;

- Elizabeth O'Hegarty for assistance with the recording sessions;

- The native French speakers who took part in the recording sessions.

The author would like to thank his family – Margaret, Niall, Eoghan and Killian – for their assistance and support in bringing this work to completion.

The author and publishers wish to acknowledge and thank Thinkstock, Alamy, Getty Images, iStockphoto and Corbis for permission to reproduce photographs in this book.

Introduction for the student

Bonjour !

You are about to start the exciting adventure of learning the French language.
You will also learn about the French people, their country and their way of life.

Working with the textbook and CDs of **Bienvenue en France 1**, you will develop four
language skills: **listening, speaking, reading and writing**.

You will also study the grammar of the French language.
You will be very busy!

Here is a list of the **symbols** and **instructions** that will direct you in the various tasks:

1.		**Ecoute le CD.**	Listen to the CD.
2.		**Travail oral**	Oral work
		Jeu de rôle	Role-play
		A tour de rôle ...	Taking it in turn ...
3.		**Lis le texte**	Read the text.
4.		**Ecris ...**	Write ...
		Complète les phrases.	Fill in the sentences.
5.		**Grammaire**	Grammar
		Etudie le verbe.	Study the verb.
		Apprends par cœur !	Learn by heart!

6.   **N'oublie pas !**   Don't forget!
The elephant will tell you not to forget a grammar point learned earlier.

7.   **Attention !**   Be careful!
The banana skin urges you to be cautious on a particular point.

Don't worry if you do not understand the instructions in French in the early chapters.
They will be accompanied by a supporting instruction in English.

Of course, as you proceed, this support will become less and less necessary – as you
will have become very familiar with the instructions in French.

Bonne chance !

Introduction for the teacher

Retaining elements that have made **Bienvenue en France 1** popular with teachers and students for so long, **this new edition has extensive additional material and features:**

- **3 Student CDs** with lots more **listening material**
- End-of-chapter **tests**
- Chapter **summaries**
- **Verb tables**
- More **task-based** exercises
- More **reading comprehension** exercises
- More **writing: blogs, emails, diaries and letters**

TEACHER'S RESOURCE PACK INCLUDES:
- CD Script
- Interactive eBook of *Bienvenue en France 1*
- Interactive quizzes and games
- Audio and video resources
- Weblinks

Regular updates will be provided on folensonline.ie
All resources are **embedded** in the eBook and available on CD.

Bienvenue en France 1 online

With this edition of **Bienvenue en France 1**, we now provide an **onscreen eBook** for Junior Certificate French for the first time. Embedded in this eBook are a range of additional resources designed to facilitate your work in the classroom.

These resources are:

- Easy to use
- Free
- Packed with ideas
- Designed to build upon knowledge learned in the book and on the CDs

You can find all resources on **www.folensonline.ie**, a designated website hosting a range of our textbooks and additional resources, for onscreen use by teachers.

Here are just some of the features included:

- **eBook:** View the entire **Bienvenue en France 1 textbook** and skip to pages easily, using the **interactive table of contents**.

- **audio:** Listen to embedded **audio tracks** from the CDs, which are directly placed on each relevant page of the online textbook.

- **Your tools:** Use the **onscreen toolkit**, which contains a pen for onscreen notes, a spotlight function and a highlighter, to name but a few of the options.

- **Your text:** Add **your own text** in the form of notes, comments and blank pages to any page.

- **Your resources:** Add **your own resources**, such as additional images, bookmarks, files or web links, accessible only by you.

- **Your way:** Take advantage of the **online saving facility**, enabling you to build up your own bank of resources around the book, making lesson content customisable.

There are a variety of **Help options** to support you in any situation, from quick onscreen look-up, to more individual queries and personal support.

In addition, you can benefit from the following additional interactive teacher-led resources:

- A **virtual train** through the **Bienvenue en France 1** chapters, with interactive activities, games and quizzes for vocabulary and grammar reinforcement.
- These additional activities include:

  – Linking text, images and audio

  – Drag and drop, labelling, cloze-test and comprehension activities

  – Short video clips and related questions and quizzes

  – Word searches, crosswords and games

To ensure content stays fun and fresh throughout the year, online activities are updated on a regular basis.

Contents

In this chapter, you will ...

- remind yourself of the French words you already know
- listen to the alphabet in French
- learn how to pronounce first names in French
- learn how to ask someone his/her name
- learn days of the week and months of the year
- look at the cities of France
- find out about some famous French people

In grammar, you will ...

- study personal pronouns
- learn the present tense of the verb **être** (to be)
- find out how to make a verb negative

1

Bienvenue en France !

J'aime la France.
La France est très belle.

J'aime parler français.
Les Français sont sympas.

J'aime la France !

J'aime
I love

Les monuments, les bâtiments, les grandes rues et les événements sportifs en France sont très célèbres.

Some of the buildings, monuments, avenues and sporting events in France are among the most famous in the world.

Le Musée du Louvre

L'Arc de Triomphe

Le Stade de France

Le Tour de France

Le Sacré-Cœur à Montmartre

La Tour Eiffel

Moi, je préfère Eurodisney !

Identifie les monuments

1.02 **Ecoute le CD. Identifie les monuments, les grandes rues et les événements sportifs.**
Listen to the CD. Write the names of monuments, streets and sporting events.

1.	L'Arc de Triomphe	6.	Le Musée du Louvre
2.	Les Champs-Elysées	7.	Roland-Garros
3.		8.	
4.	La Tour Eiffel	9.	Notre-Dame de Paris
5.		10.	

Parlez-vous français ?

Beaucoup de mots français sont utilisés en anglais.

Learning French, you will be helped by the fact that you know many French words already – without perhaps being aware that they are French words that have been absorbed into the English language.

This is Michael. He lives in a cul-de-sac. He is being driven to school in a Renault car by his father who is a chef in a restaurant. In his schoolbag he has his lunch – some croissants with pâté. He would much prefer to be able to go to a café in town where he could buy some delicious éclairs.

His sister Anne is working in France as an au pair. This morning a letter arrived par avion saying that she had been on the piste. Michael explained to his parents that his sister had just been skiing – as the word 'piste' means ski-slopes and is an example of another French word being absorbed into English.

Anne aime le ski. Michael préfère les gâteaux !

⊚ 20 mots français

1.03   **Ecoute le CD. Ecris les mots.**
Listen to 20 French words on the CD and write them down here.

1.	ballet	11.	gâteau
2.	brochure	12.	
3.	chauffeur	13.	
4.		14.	boutique
5.		15.	
6.	boulevard	16.	
7.		17.	mousse
8.	début	18.	soufflé
9.		19.	
10.		20.	

Travail oral en classe : 20 mots

Ecoute le CD encore une fois.
Répète chaque mot. Imite le son du mot français.
Repeat aloud each word during the pause in the CD.
Try to imitate exactly the sound of the French word.

L'alphabet français

 L'alphabet

1.04 **Ecoute le CD.**
**Pendant la pause, imite exactement
la prononciation de chaque lettre.**

In the pause, imitate exactly the
pronunciation of each letter.

 **Travail oral**

Epelle ton prénom.
Each student spells his/her first name.

Comment tu t'appelles ?

Comment tu t'appelles ?

Je m'appelle ...

What's your name?

My name is ...

Comment tu
t'appelles ?

Je m'appelle
Jean.

Comment tu
t'appelles ?

Je m'appelle
Julie.

Travail oral

Ask the person beside you what his/her name is. Then it's his/her turn to ask you!
This question can be asked right around the class.

Prénoms

- Sylvie   - Anne
- Stéphanie   - Brigitte
- Sophie   - Carole
- Nathalie   - Caroline
- Nicole   - Catherine
- Michèle   - Cécile
- Marthe   - Claire
- Louise   - Corinne
- Julie   - Elise
- Jeanne - Florence

- Vincent   - Alain
- Thomas   - Antoine
- Simon   - Charles
- Roger   - David
- Robert   - François
- Richard   - Guillaume
- Pierre   - Jean
- Paul   - Jérôme
- Patrick   - Martin
- Nicolas - Mathieu

Les prénoms

1.05

Ecoute les prénoms. Pendant les pauses, imite la prononciation des prénoms.

Listen to the pronunciation of the names. Repeat each name in the pause.

Comment tu t'appelles ?

1.06   **Ecoute le CD. Ecris les prénoms.**

1. Je m'appelle David	6. Je m'appelle
2. Caroline	7.
3.	8.
4.	9.
5.	10.

La France : les grandes villes

Etudie la carte de France et la situation des grandes villes.

Study the map of France. It is important to know where the major cities are situated and how they are pronounced in French.

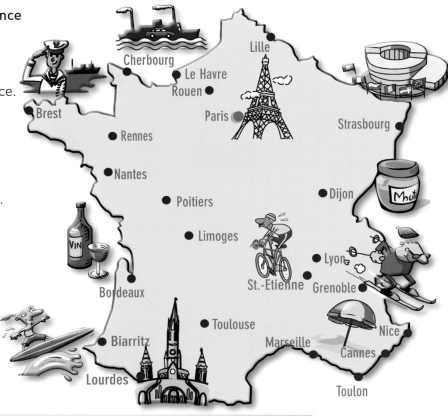

Les grandes villes de France

1.07   **Ecoute le CD. Pendant la pause, imite la prononciation des noms.**

In the pause, imitate exactly how the name of each city is pronounced.

Les villes

1.08   **Ecoute le CD. Complète le tableau.**

Listen to the CD. Write the names of the cities in the grid.

1.	Strasbourg	6.	Cherbourg
2.	Rennes	7.	
3.		8.	
4.	Bordeaux	9.	Poitiers
5.		10.	

J'habite à ...

Je m'appelle Jeanne.
J'habite à Paris.

J'habite à _____
I live in _____

Je m'appelle Pierre.
J'habite à Grenoble.

 Travail oral

Imite l'exemple de Jeanne et de Pierre.
Choisis un prénom et une ville.
Copy what Jeanne and Pierre are saying. Link a person's name with a French city. Say them aloud.

Je m'appelle _____. J'habite à _____.

Mon blog
Je m'appelle Sean.
J'habite à Navan.
J'aime le sport.

Mon blog
Je m'appelle Mary.
J'habite à Thurles.
J'aime le cinéma.

 Ton blog

Et ton blog ? Ecris ton blog !
Write out your blog, copying the examples.

La personne et la ville

1.09 Ecoute le CD. Pour chaque photo, écris le nom de la personne et le nom de la ville.

1. Personne :
Charles

Ville :
Bordeaux

2. Personne :

Ville :
Marseille

3. Personne :
Antoine

Ville :

4. Personne :

Ville :
Toulouse

5. Personne :
François

Ville :

6. Personne :
Elise

Ville :

7. Personne :

Ville :
Rennes

8. Personne :
Caroline

Ville :

9. Personne :

Ville :
Poitiers

10. Personne :

Ville :

Travail oral – Où habitent les personnes ?

Exemple : – Charles habite à Bordeaux.

Où ?
Where?

Pronoms personnels
Personal pronouns

La grammaire est très importante !

Pronoms personnels

Je	→	I
Tu	→	You
Il	→	He
Elle	→	She
Nous	→	We
Vous	→	You
Ils	→	They (*masculine*)
Elles	→	They (*feminine*)

> **Apprends par cœur !**
> Learn this list of pronouns off by heart.

Two words for 'you'

As you can see from the list of pronouns, French has two words for '**you**' – tu and vous.

Tu is what you say to a friend or to someone your own age.

Vous is what you say to an adult.

It would be impolite for a teenager to use tu when speaking to an adult, so be careful!

You also use vous when speaking to more than one person.

Tu ...

– Tu parles français ?

Vous ...

– Vous habitez à Nice ?

Tu ...

– Tu aimes le cinéma ?

Two words for 'they'

French has two words for '**they**' – ils and elles.

You use ils when talking about boys/men.

You use elles when talking about girls/women.

If you are talking about boys and girls together, you use ils.

Ils aiment le sport.

Ils aiment le ski.

Elles aiment la musique.

The pronoun on

The third person singular pronoun is il/elle (he/she).

There is another third person singular pronoun – on.

It means 'one'. It is very commonly used, e.g. On parle français en France.

Un verbe important

Le verbe être est très important en français. C'est un verbe irrégulier.

The verb être (to be) is the most important verb in French. It is an irregular verb.

ÊTRE

1.10 Ecoute le verbe être.

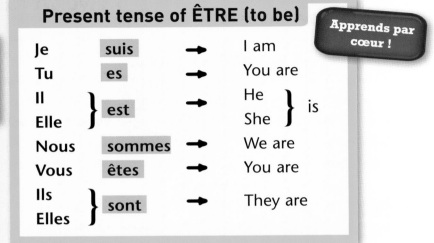

Present tense of ÊTRE (to be)

Je	suis	→	I am
Tu	es	→	You are
Il Elle }	est	→	He She } is
Nous	sommes	→	We are
Vous	êtes	→	You are
Ils Elles }	sont	→	They are

Apprends par cœur !

Travail oral en classe

A tour de rôle, chaque élève répète le verbe être.

One after another, each student repeats aloud the verb être.

Je suis, Tu …

Les pronoms et le verbe être

Fill in the blanks, inserting either the present of être or the pronoun.

1.
1. Je ___suis___
2. Tu _____
3. _____ est
4. Elle _____
5. Nous _____
6. _____ êtes
7. Ils _____
8. _____ sont

2.
1. Il ___est___
2. Nous _____
3. Tu _____
4. Ils _____
5. Je _____
6. Vous _____
7. Elle _____
8. Elles _____

Les professions

professeur ➡ teacher
facteur ➡ postman
médecin ➡ doctor
architecte ➡ architect
ingénieur ➡ engineer
vétérinaire ➡ vet
secrétaire ➡ secretary
infirmière ➡ nurse
militaire ➡ soldier
gendarme ➡ policeman

1.

« Je suis médecin. »

2.

« Je suis architecte. »

3.

« Je m'appelle Roger.
J'habite à Rouen.
Je suis ingénieur. »

4.

« Je m'appelle Sophie.
J'habite à Lille.
Je suis professeur. »

Des personnes, des villes et des professions

1.11   Ecoute le CD. Complète les informations dans le tableau.

	Je m'appelle ...	J' habite à ...	Je suis ...
1.	Florence	Cherbourg	vétérinaire
2.		Lille	journaliste
3.	Cécile		architecte
4.	Thomas	Limoges	
5.		Toulon	infirmière
6.	Guillaume		facteur
7.	Catherine	Biarritz	
8.			

Présente d'autres personnes

Utilise les noms de personnes, de villes et de professions.

Introduce other French people to the class, using the names of people, towns and professions.

Je m'appelle ...
J'habite à ...
Je suis ...

La forme négative d'un verbe
The negative form of a verb

In English, you make a verb negative by using not. For example, I am not disappointed.

In French, you need two words: ne ... pas.

These two words are placed on either side of the verb.

Ne becomes n' before a vowel (a,e,i,o,u) or silent 'h'.

So here is the verb être written out in the negative.

Je ne suis pas	➡	I am not
Tu n'es pas	➡	You are not
Il n'est pas	➡	He is not
Elle n'est pas	➡	She is not
Nous ne sommes pas	➡	We are not
Vous n'êtes pas	➡	You are not
Ils ne sont pas	➡	They are not (*masculine*)
Elles ne sont pas	➡	They are not (*feminine*)

VOCABULAIRE

heureux
fatigué
malade
triste

1.

2. Je ne suis pas heureux.

3.

4. Je ne suis pas malade.

Je suis heureux.

Je suis malade.

Ecris à la forme négative

Write in the negative form.

1. Je suis fatigué. ➡ Je ne suis pas fatigué.
2. Nous sommes heureux. ➡ _____
3. Tu es fatigué. ➡ _____
4. Elle est malade. ➡ _____
5. Ils sont heureux. ➡ _____
6. Il est triste. ➡ _____

Devoirs

The word **devoirs** means homework.

1. Transforme les verbes à la forme négative.

Change the following verbs to the negative form.

J'aime les devoirs !

1. Je suis ➡ *Je ne suis pas*
2. Nous sommes ➡ _____
3. Ils sont ➡ _____
4. Elle est ➡ _____
5. Vous êtes ➡ _____
6. Il est ➡ _____
7. Tu es ➡ _____
8. Elles sont ➡ _____

Et moi, je n'aime pas les devoirs !

2. Transforme les phrases à la forme négative.

Write the sentences in the negative form.

1. Je suis gendarme. ➡ *Je ne suis pas gendarme.*
2. Il est content. ➡ _____
3. Tu es fatigué. ➡ _____
4. Nous sommes à Nice. ➡ _____
5. Elle est professeur. ➡ _____
6. Vous êtes Français. ➡ _____
7. Elles sont journalistes. ➡ _____
8. Nous sommes heureux. ➡ _____
9. Elle est malade. ➡ _____
10. Je suis triste. ➡ _____

3. Complète les phrases.

Moi, je déteste les devoirs !

Complete the following sentences by filling in the blanks.

1. Je m' __*appelle*__ Pierre.
2. J'habite _____ Paris.
3. Elle _____ vétérinaire.
4. Nous _____ heureux.
5. J'aime _____ France.
6. Je n'aime _____ les devoirs.
7. _____ tu t'appelles ?
8. Je _____ appelle Sophie.
9. Je _____ infirmière.
10. Vous _____ ingénieur.

Les jours ... et les mois

aujourd'hui	today
les jours	the days
les mois	the months

Aujourd'hui, c'est lundi, le 20 septembre

Your teacher may like to start each class with **the day** and **the date.** You can follow this good example when starting a written exercise. So it's important to know **the days of the week** and **the months of the year in French.**

LES JOURS
1. lundi
2. mardi
3. mercredi
4. jeudi
5. vendredi
6. samedi
7. dimanche

LES MOIS
1. janvier	7. juillet
2. février	8. août
3. mars	9. septembre
4. avril	10. octobre
5. mai	11. novembre
6. juin	12. décembre

 ## Les jours

1.12 Ecoute les jours.

 ## Les mois

1.13 Ecoute les mois.

Travail oral

Pendant les pauses, chaque élève répète les jours.

Listen to the days on CD. Then, in the pauses, take it in turn to repeat the days. Learn them by heart!

Travail oral

Pendant les pauses, chaque élève répète les mois.

Listen to the months on the CD. Take it in turn to repeat the months. Learn them by heart!

N.B. When writing, do not give capital letters to days or months.

Exemple : *Aujourd'hui, c'est jeudi, le 12 avril.*

 ## Exercice

Ecris le jour et la date.

In your copybook, write the days and the dates for this exercise. Days and dates are indicated by numbers. Refer to the grids above for days and months. The first one has been done for you.

Jour	Date
6	8/5
2	3/6
5	5/12
4	10/4
7	2/9
1	11/2

Aujourd'hui, c'est samedi, le 8 mai.

When writing **the first** of any month, write **le 1er** (short for **le premier**). Write the ordinary numbers for all other dates.

Exemples : **le 30 avril**

le 1er mai

Quatre Français

Ils sont célèbres dans le monde entier.

1. Marcel Marceau

Marcel Marceau was a world-famous mime artist. He was immensely popular for his mime acts, especially for the ones played in the persona of **Bip le Clown.**

Naissance :	le 22 mars 1923
Mort :	le 22 septembre 2007
Profession :	artiste de mime

Le mime, c'est l'art du silence.

2. Coco Chanel

Coco Chanel was a pioneering French fashion designer. She was the founder of the famous Chanel brand. She had a huge influence on world fashion in the twentieth century.

Naissance :	le 19 août 1883
Mort :	le 10 janvier 1971
Profession :	couturière

Tu connais, bien sûr, la marque Chanel.

3. Edith Piaf

Edith Piaf was a famous French singer. With a very distinctive singing voice, her songs were hugely popular. She was known as **La Môme Piaf** (The Little Sparrow).

Naissance :	le 19 décembre 1915
Mort :	le 11 octobre 1963
Profession :	chanteuse

Tu connais sa chanson « Non, je ne regrette rien » ?

4. Claude Monet

Claude Monet was a hugely talented painter. He was the founder of a school of painting called Impressionism. His paintings feature scenes from nature such as water lilies, sunrise, his own garden at Giverny and Rouen Cathedral.

Naissance :	le 14 novembre 1840
Mort :	le 5 décembre 1926
Profession :	peintre

Admire les tableaux de Monet dans un musée d'art.

 Travail oral

Discussion en classe

See if the class can name another French actor, fashion designer, singer and painter.

Célébrités françaises
Famous French people

Qui est-ce ?	Who is it?
C'est …	It is …

1.

Charles de Gaulle

2.

Jeanne d'Arc

3.

Napoléon Bonaparte

4.

Marie Curie

5.

Audrey Tautou

6.

Vanessa Paradis

7.

Thierry Henry

8.

Nicolas Sarkozy

9.

Jean-Paul Gaultier

 Travail oral : question et réponse

– **Qui est-ce ?**
– **C'est Thierry Henry.**
One student asks the question, pointing to a photo above.
Another student answers with the name of the famous French person.

Un Irlandais en France

An Irishman has given his name to a word in French.

Fiachra left Ireland long ago and set up a monastery in France. There was a holy well nearby to which invalids came looking for cures. Fiachra had such pity on these invalids that he built a special little cart to help carry them from the monastery to the holy well and back. In time, the little cart became known as a **fiacre**... and Fiachra became known as a saint.

Travail oral en classe : question et réponse

Regarde le personnage principal.

1. Comment s'appelle-t-il ?
2. Où habite-t-il ?
3. Il est Français ?

Un autre mot

Boycotter **est un verbe utilisé en France.**

Discussion en classe sur l'origine de ce verbe.

Do you know the origin of the verb **boycotter**?

1. Tu parles avec des Français

Tu ou Vous ?

Which word for 'you' would you use when speaking to these French people?

> Tu parles français ?

> Vous habitez à Paris ?

1.

2.

3.

4.

2. Conversations en classe

> Qui est-ce ?

> C'est Anne.

> Je m'appelle Anne. J'habite à Sligo. Je suis une élève.

A

B

C

Hold similar A, B, C conversations in class. Go right around the class. Involve every student.

1.14

Détails personnels

Ecoute le CD. Six personnes parlent. Ecris les détails dans le tableau.

Listen to six people as they tell us their name, town and occupation.

Fill in the details in the grid.

	Prénom	Ville	Profession
1.	Odette	Biarritz	professeur
2.		Limoges	architecte
3.	Sylvie		secrétaire
4.	Jérôme	Dijon	
5.		Nantes	infirmière
6.	Vincent		

1. Replace les briques !

Some bricks have fallen from the wall. Can you replace them?

2. Ecris les phrases à la forme négative.

Write the sentences in the negative form.

1. Je suis fatigué. ➡ Je ne suis pas fatigué.

2. Tu es malade. ➡ _____

3. Il est heureux. ➡ _____

4. Elle est triste. ➡ _____

5. Nous sommes à Paris. ➡ _____

6. Vous êtes en France. ➡ _____

7. Ils sont à Nice. ➡ _____

8. Elles sont en Irlande. ➡ _____

3. Portrait de Pierre

Complète les phrases.

Fill in the words which are missing.

1. Je m' _____appelle_____ Pierre.

2. _____Je_____ suis un élève.

3. J' _____ à Paris.

4. Je _____ heureux.

5. Je ne suis _____ triste.

6. J' _____ le sport.

7. Je n'aime _____ le cinéma.

8. Je _____ fatigué.

Pierre

Pierre est fatigué !

Test

C'est le moment de vérifier tes connaissances du Chapitre 1 ! Bonne chance !
It's time to check your knowledge of Chapter 1! Good luck!

Test 1

1. Verbe important : être

Fill in the missing parts of the verb **être**.

Pronom	Verbe
Je	suis
Tu	
Il	est
Elle	
Nous	sommes
Vous	
Ils	sont
Elles	

4

2. La forme négative

Ecris les phrases à la forme négative.
Write the sentences in the negative form.

Exemple : Je suis Français. → Je **ne** suis **pas** Français.

1. Je suis en France. → _____
2. André est fatigué. → _____
3. Nous sommes à Paris. → _____
4. Luc et Jean sont en Irlande. → _____

4

3. Les jours et les mois

Write in French:

1. Tuesday → _____
2. Friday → _____
3. April → _____
4. August → _____

4

4. Conversations dans la rue

These sentences were overheard in conversations in the street – but there's a word missing from each one. Choose the correct word for each sentence from the box.

1. « Bonjour ! Je m' _____ Françoise. »
2. « J' _____ la France. »
3. « Vous habitez à Paris ? » «Non, j' _____ à Nice. »
4. « Je _____ malade.»

habite
suis
appelle
aime

4

5. Portrait de Céline

Fill in the blanks in the following sentences.

« Moi, je m'appelle Céline. J'habite _____ Strasbourg. Je _____ architecte. J'_____ le cinéma. Je n'aime _____ la danse. »

4

En France, les tests sont notés sur 20.
In France, tests are marked out of 20.
Enter your total marks on the last page of this book.

Total ___
20

Chapitre 1 : résumé

 ## 1. Vocabulaire

1. Professions

architecte	ingénieur	professeur	facteur	médecin
secrétaire	infirmière	militaire	gendarme	vétérinaire

2. Questions

1. – Comment tu t'appelles ?
2. – Parlez-vous français ?
3. – Tu parles français ?
4. – Vous habitez à Paris ?
5. – Qui est-ce ?
6. – Où habitent les personnes ?

3. Les jours

1. lundi
2. mardi
3. mercredi
4. jeudi
5. vendredi
6. samedi
7. dimanche

4. Les mois

1. janvier
2. février
3. mars
4. avril
5. mai
6. juin
7. juillet
8. août
9. septembre
10. octobre
11. novembre
12. décembre

 ## 2. Grammaire

1. Les pronoms personnels

Singulier	Je
	Tu
	Il, Elle
Pluriel	Nous
	Vous
	Ils, Elles

2. Le pronom on

On parle français en France.

Je m'appelle Coco Rico. J'habite en France.

3. Le verbe être

- La forme affirmative

Je	suis
Tu	es
Il	est
Elle	est
Nous	sommes
Vous	êtes
Ils	sont
Elles	sont

- La forme négative

Je ne suis pas
Tu n'es pas
Il n'est pas
Elle n'est pas
Nous ne sommes pas
Vous n'êtes pas
Ils ne sont pas
Elles ne sont pas

In this chapter, you will ...

- say 'hello' and 'goodbye'
- ask how someone is feeling
- say how you are feeling
- introduce yourself to your classmates
- name items in the classroom
- ask a classmate to identify objects in the class

In grammar, you will learn ...

- that nouns in French have a gender
- the indefinite article (**un, une**)
- three ways to ask a question
- some prepositions

2

Bonjour !

Faire la bise
Entre amis,
on se fait la bise.

Serrer la main
Serrer la main, comme
sur la photo, c'est très
commun.

Salutations en français

When you go to France, you will find it much easier to meet people if you know the correct way to greet them and ask them how they are.

1.

This is how you say 'Hello' to a friend.

2.

It is polite to add **Monsieur** or **Madame** when you say **Bonjour** to an adult.

3.

In the evening, this is how you can greet someone.

4.

You say **Allô !** only on the telephone.

Saying 'Goodbye'

Say **Au revoir** for 'Goodbye'.
Said to an adult, it would be polite to add **Monsieur** or **Madame**.

Say **A bientôt !** if you expect to see the other person again soon.

When someone is going to bed say **Bonne nuit !**

1.

2.

Bonjour !	Hello
Salut !	Hello (to a friend)
Bonsoir !	Good evening
Au revoir !	Goodbye
A bientôt !	See you soon
Bonne nuit !	Good night

 Salutations

1.15 **Ecoute le CD.**
Répète les salutations pendant les pauses.

Ça va ?
How are things?

To ask a friend how he/she is feeling, say Ça va ?
The answer to **Ça va** ? may be Ça va (I'm fine).

The following four sketches show a person saying 'hello' and asking how the other person is. Things get better … and then worse!

1.

Salut, Anne !
Ça va ?

Ça va bien,
merci.

2.

Bonjour !
Ça va ?

Ça va très
bien !

3.

Salut, Paul !
Ça va ?

Pas très
bien.

4.

Ça va ?

Ça va
très mal.

Ça va ?	How are you?
Ça va.	I'm OK.
Ça va très bien.	I'm very well.
Pas très bien.	Not very well.
Très mal.	Very bad.
Merci.	Thank you.

Dialogues : ça va ?

1.16 Ecoute les dialogues 1–4.

Travail oral

Répète les dialogues.
Working in pairs, repeat the four dialogues.

Conentions

Conversations

1.17

Ecoute les conversations. Regarde les images.

People are greeting one another or saying goodbye. They may also ask how things are. Listen to the eight conversations on the CD. Then fill in the missing details in the grid below.

1.

2.

3.

4.

5.

6.

7.

8.

Complète les conversations dans le tableau.

1.	– Bonjour, Madame.	– Bonjour, Monsieur.
2.	– Salut, Sophie.	–
3.	– Bonjour, Patrick. Ça va ?	–
4.	–	– Bonsoir, Nathalie.
5.	– Bonjour, Monsieur. Ça va ?	–
6.	–	– Au revoir, Vincent.
7.	– Allô, Claire. Ça va ?	–
8.	–	– Au revoir, Marie. A bientôt !

 **Devoirs**

1. Tu es en vacances en France.

You are on holidays in France. You get the opportunity to meet some French people. Write what you would say.

1. Say 'hello' to David. ➡ _Salut, David_
2. Ask David how he's feeling. ➡ _____
3. David says he's fine. ➡ _____
4. Say 'hello' to a lady. ➡ _____
5. Say 'hello' to a gentleman. ➡ _____
6. Say 'good evening' to Claire. ➡ _____
7. Say 'goodbye' to Michel. ➡ _____
8. Say 'see you soon' to Anne. ➡ _____
9. Tell your friend: 'I'm fine, thanks.' ➡ _____
10. Say 'goodnight'. ➡ _____

2. Conversations

Lis les conversations. Complète les phrases.

1.
– Salut, Claire.
– Salut, Paul. Ça _____ ?
– Ça va très _____. Je suis heureux.

2.
– Bonjour, Monsieur.
– Bonjour, Madame. Ça va ?
– Pas très bien. Je _____ malade.

3.
– Allô, Brigitte ?
– Oui. Qui est-ce ?
– C' _____ Mathieu.
– Salut, _____. Ça va ?
– Ça va _____ bien, merci.

4.
– Bonsoir, Patrick.
– Bonsoir, Cécile. Ça va ?
– Ça va _____, merci. Et toi ?
– Ça ne va _____ bien. Je suis fatigué.

Tu te présentes !

You are in a new class in a new school. You want to get to know your fellow pupils. Here's how you can do so in French.

Step 1	**Say** Bonjour ! to the person beside you.
Step 2	**Repeat Step 1 and add** Ça va ? Listen for the reply.
Step 3	**Repeat Steps 1 and 2 and then say your name:** Je m'appelle ...
Step 4	**Repeat all the previous steps and then ask the other person his/her name:** Comment tu t'appelles ? **Listen for the name!**

Bonjour !

Bonjour ! Ça va ? (réponse)

Bonjour ! Ça va ? (réponse) Je m'appelle ...

Bonjour ! Ça va ? (réponse) Je m'appelle ... Comment tu t'appelles ? (réponse)

Exemple :

– Bonjour ! Ça va ?
– Ça va bien.
– Je m'appelle Patrick. Comment tu t'appelles ?
– Je m'appelle Anne.

 Patrick
 Anne

Bonjour ! Ça va ?

1.18   Ecoute le CD. Complète le tableau.

	Prénom 1	Prénom 2	Bien ☺	Très bien ☺☺	Mal ☹
1.	Jean	Corinne	✓		
2.	Louise			✓	
3.	Paul				
4.		Thomas			
5.	Simon				
6.					

 Travail oral : présentations dans la salle de classe

Working in pairs, hold conversations in class following the steps set out above.

Qu'est-ce que c'est ?
C'est ...

Qu'est-ce que c'est ?	What is it?
C'est un crayon.	It's a pencil.
C'est une chaise.	It's a chair.

un **tableau**	➜ a board
un **cartable**	➜ a schoolbag
un **crayon**	➜ a pencil
un **stylo**	➜ a pen
un **cahier**	➜ a copybook
un **livre**	➜ a book
un **lecteur DVD**	➜ a DVD player
un **ordinateur**	➜ a computer
une **trousse**	➜ a pencil case
une **porte**	➜ a door
une **fenêtre**	➜ a window
une **chaise**	➜ a chair
une **table**	➜ a table
une **carte**	➜ a map
une **clé USB**	➜ a memory stick
une **horloge**	➜ a clock
une **règle**	➜ a ruler
une **gomme**	➜ an eraser

All nouns are either masculine **or** feminine **in French.** This is called the **gender** of the noun. In the list on the left, each noun has un or une in front of it. You put un before a masculine noun and une before a feminine noun. Un or une is the same as 'a' in English.

Les objets dans la salle de classe.

In your copybook, write un or une + noun.

1.
2.
3.
4.
5.
6.
7.
8.
9.

Qu'est-ce que c'est ?

1.19 **Ecoute le CD. Identifie les objets.**

Travail oral — **Ton prof te pose une question !**

1.
– Qu'est-ce que c'est ?
– C'est un crayon.

2.
– Qu'est-ce que c'est ?
– C'est une règle.

Continue this dialogue with other objects in your classroom.

Dans la salle de classe

une **horloge**

un **tableau**

il y a =
there is/
there are

une **carte**

une **fenêtre**

une **porte**

une **chaise**

un **livre**

une **souris**

un **crayon**

une **règle**

un **cartable**

une **clé USB**

un **portable**

un **stylo**

une **gomme**

un **cahier**

PRÉPOSITIONS

sur	on
sous	under
dans	in

Exercice

Regarde l'illustration et complète les phrases.

1. Sur une table, il y a _____
2. Sous une table, il y a _____
3. Dans la salle de classe, il y a _____

Travail oral : complète les phrases

1. Dans la trousse de Marie, il y a _____
2. Dans le cartable de David, il y a _____

Mots croisés

Test de vocabulaire

Qu'est-ce que c'est ?

Complète les mots croisés.

1.

3.

1.

4.

7.

2.

6.

4.

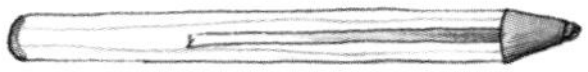

2.

6.

3.

5.

8.

5.

5.

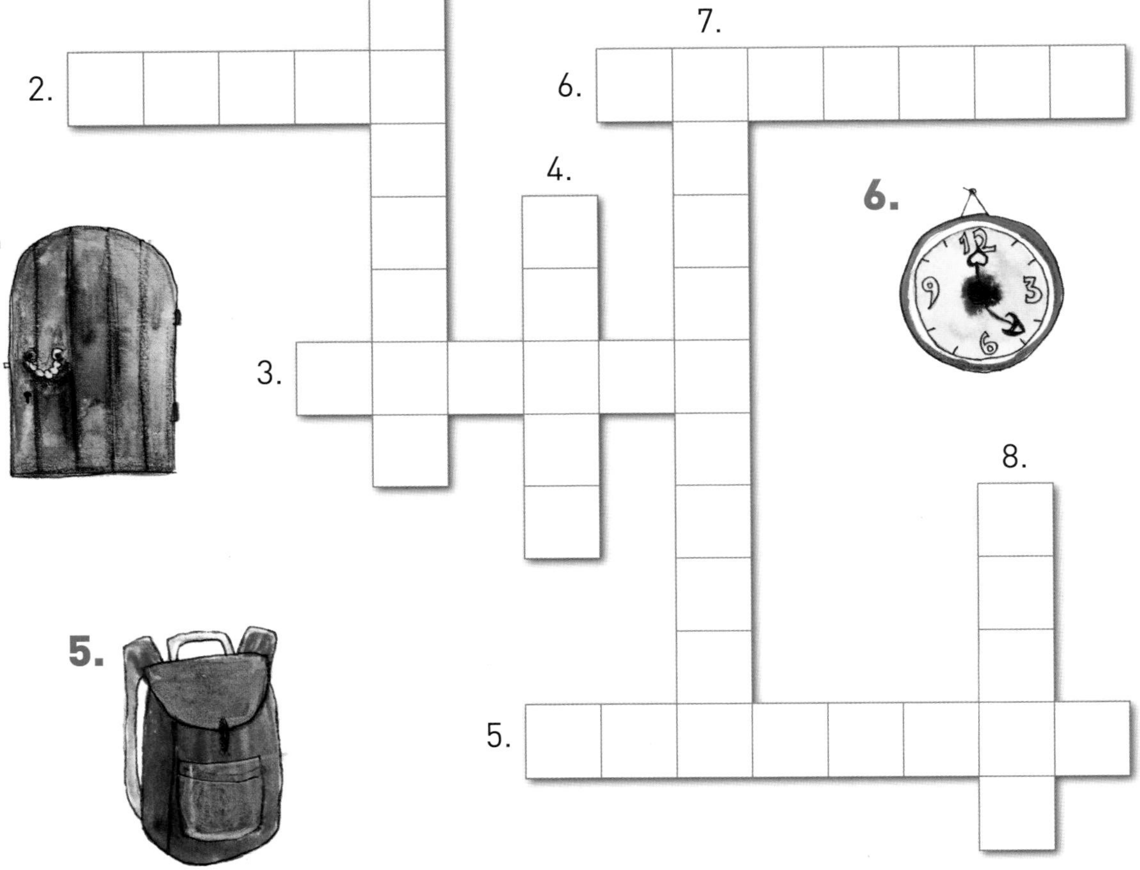

8.

7.

Réponds à la question :

Tu aimes les mots croisés ?

Devoirs **Qu'est-ce que c'est ?**

1. Ecris un ou une.

Fill in the blanks with the correct article: un or une.

1. C'est _un_ livre.
2. C'est _____ clé USB.
3. C'est _____ règle.
4. C'est _____ cahier.
5. C'est _____ ordinateur.
6. C'est _____ chaise.
7. C'est _____ crayon.
8. C'est _____ tableau.
9. C'est _____ carte.
10. C'est _____ stylo.

2. Complète les phrases.

Complete the sentences with the appropriate noun.

1. – C'est une porte ?
   – Non, c'est une _fenêtre_ .
2. – C'est un crayon ?
   – Non, c'est une _____.
3. – C'est une chaise ?
   – Non, c'est une _____.
4. – C'est un _____ ?
   – Non, c'est un cahier.

1.
2.
3.
4.

 1.20 **Ecoute le CD. Où sont les objets ?**

Match up the first part of the sentence on the left with the one you hear on the right.

1. La chaise est • • sur la table.
2. La trousse est • • dans le cartable.
3. Le cahier est • • dans la classe.
4. Le stylo est • • sur la chaise.
5. Le cartable est • • sous le cahier.
6. La clé USB est • • dans la trousse.

 1.21 **Ecoute le CD. Dans le cartable et dans la trousse.**

Dans le cartable de Françoise, il y a _____
Dans la trousse de Pierre, il y a _____

In the grid, place a tick for the items that are in Françoise's schoolbag and in Pierre's pencil case.

objet	cartable de Françoise	trousse de Pierre
pencil		✓
map		
book	✓	
computer		
ruler		
pencil case		
eraser		
copy book		
pen		
mobile phone		

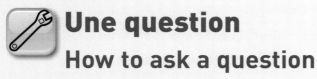

Une question
How to ask a question

There are three ways of asking a question in French.

1. Put Est-ce que in front of the statement:

C'est un stylo. → **Est-ce que c'est un stylo ?**

Tu es Français. → **Est-ce que tu es Français ?**

This is a very common way of asking a question.

2. Use inversion: Put the verb first followed by the subject. This is a formal way.

C'est un stylo. → **Est-ce un stylo ?**

Tu es Français. → **Es-tu Français ?**

Note the use of a hyphen (-) between the verb and the subject when writing a question.

3. Use a questioning tone: You simply raise your voice at the end of the statement to indicate that you are asking a question.

C'est un stylo. → **C'est un stylo ?**

This method is very commonly used in everyday speech. It is not appropriate in formal situations.

Exercice

In your copybook, write each sentence as a question using two methods.

1. C'est un livre.

Est-ce que c'est un livre ?
Est-ce un livre ?

2. C'est une chaise.
3. C'est un cahier.
4. C'est une fenêtre.
5. C'est un cartable.

Est-ce un livre ?

Oui, c'est un livre.

Affirmations et questions

1.22 Listen to the CD as each of the 5 sentences in the previous exercise is read – first as a **statement** and then as a **question** using a questioning tone.

C'est un livre. **C'est un livre ?**

Can you hear the difference in speaking voice between statement and question?

Now practise these yourself by saying them aloud – first as a statement and then as a question.

Conversations

Lis les conversations

1. C'est un cahier ? — Oui. C'est un cahier.

2. Est-ce une trousse ? — Non. Ce n'est pas une trousse. C'est un portable.

3. C'est une table ? — Non. Ce n'est pas une table. C'est une chaise.

4. Est-ce que c'est une clé USB ? — Oui. C'est une clé USB.

Observe les questions dans les conversations. Coche (✓) la bonne case.

Study the way in which the question is asked in each of the conversations above.
Tick the grid below to indicate the method used to ask the question.

	1.	2.	3.	4.
Common way: Est-ce que + statement				
Formal way: inversion (verb first followed by subject)				
Informal, spoken way: statement with voice raised at the end	✓			

🔘 Identifie les objets

Ecoute les dialogues. Numérote les objets.

1.23   Identify each object being discussed by placing a number in the correct circle. The first one has been done for you.

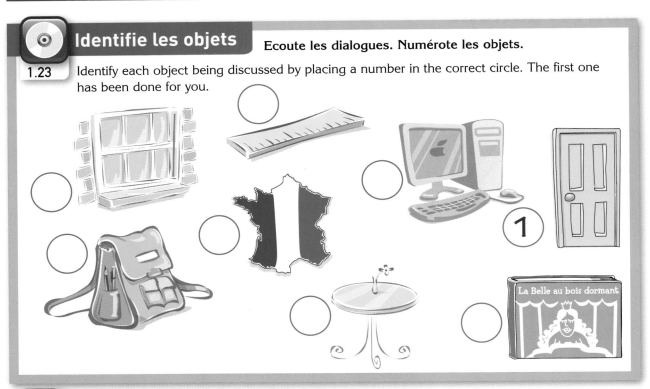

🔊 Jeu de rôle : les objets dans la salle de classe

1. La forme affirmative

Exemple : David montre la chaise.
Il pose une question à Marie : – Marie, est-ce une chaise ?
Marie répond : – Oui, c'est une chaise.

Posez des questions sur 5 objets dans la salle de classe.

In pairs, students ask what five different objects in the classroom are by pointing to them and asking a question, as David has done in the example above.

2. La forme négative

Exemple : Cécile montre une table.
Elle pose une question à Roger: – Roger, est-ce un crayon ?
Roger répond : – Non, Cécile. Ce n'est pas un crayon. C'est une table.

In this conversation, Cécile points to an object and phrases her question in such a way that Roger has to reply in the negative form as the object asked about is not a pencil, but a table.

Posez des questions sur 5 objets dans la salle de classe. Working in pairs, imitate the example with five objects in the classroom.

Est-ce une gomme ?

Non, ce n'est pas une gomme. C'est une règle.

Guillaume et Mathilde

« Je m'appelle Guillaume.
Je suis un élève.
J'habite à Toulon. »

« Je m'appelle Mathilde.
Je suis professeur.
J'habite aussi à Toulon. »

Guillaume est un élève. Il habite à Toulon. Il aime bien Toulon. Il est heureux. Il n'est pas fatigué.

Mathilde est professeur. Elle habite à Toulon. Elle n'aime pas Toulon. Elle va mal. Elle est triste.

Dans la trousse de Guillaume, il y a un crayon, une règle, une gomme et une clé USB. La trousse est belle.

Dans la salle de classe de Mathilde, il y a un tableau, un lecteur DVD et un ordinateur.

Où est l'ordinateur ? L'ordinateur est sur une table.

– Bonjour. Ça va ?

– Ça va bien, Madame.

– Comment tu t'appelles ?

– Je m'appelle Guillaume.

– Est-ce que tu habites à Toulon, Guillaume ?

– Oui, Madame, j'habite à Toulon.

– Tu es un élève ?

– Oui, je suis un élève.

– Et moi, je suis professeur.

Lis le texte et coche (✓) la bonne case dans le tableau.

	Compréhension	Mathilde	Guillaume
1.	Who likes Toulon?		✓
2.	Who is not well?		
3.	Who is not tired?		
4.	Who is sad?		
5.	Who has a memory stick?		
6.	Who has a computer?		

1. Salutations

Tu es en vacances en France.
You are on holidays in France.
What do you say when…?

Salut, Nicole !

1. You want to say 'hello' to Nicole.
_____

2. You want to say 'hello' to a lady.
_____

3. You greet a gentleman in the evening.
_____

4. You are saying 'goodbye' to Sophie.
_____

5. You want to say 'goodnight'.
_____

6. You want to know how Marie is feeling.
_____

7. You want to tell someone 'I'm fine'.
_____

8. You expect to see Alain again soon.
_____

2. Dans la salle de classe

Qu'est-ce que c'est ?
C'est un … C'est une …
Un(e) élève montre un objet et pose la question. Un(e) autre élève donne la réponse.
Work in pairs. One student points to a picture and asks the question. Another student answers.

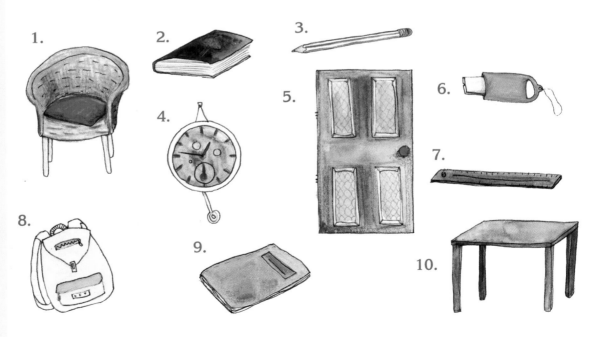

1.
2.
3.
4.
5.
6.
7.
8.
9.
10.

1. Ça va ?

Put the correct response in each speech bubble.

Ça va. / Ça va bien. / Ça va très bien. / Ça va mal.

Ca va.

1. 2. 3. 4.

2. Les articles : un, une

Write un or une in front of the following nouns.

1. _____un_____ stylo 5. _____ fenêtre 9. _____ chaise

2. _____ clé USB 6. _____ cartable 10. _____ livre

3. _____ porte 7. _____ tableau 11. _____ carte

4. _____ cahier 8. _____ règle 12. _____ horloge

3. Les questions

Write the following sentences as questions. Use different ways of asking a question.

1. C'est une porte. → _____Est-ce une porte ?_____

2. C'est un crayon. → _____Est-ce que c'est un crayon ?_____

3. C'est un livre. → _____

4. C'est une fenêtre. → _____

5. C'est un stylo. → _____

Conversations dans la salle de classe.

Ecoute le CD. Complète les dialogues.

1.24

1. – Salut, Paul ! – Salut, Marie. Ça va ? – Ça va _____. Et toi ? – Ça va très bien, merci.	2. – Bonjour, Cécile. – Bonjour, André. – Qu'est-ce que c'est, Cécile ? – C'est une _____.
3. – Ça va ? – Ça va bien. – Comment tu t'appelles ? – Je m'appelle _____.	4. – Salut ! Tu es Français ? – Oui. Je suis Français. J'habite à _____. – Tu es un élève ? – Oui. Je _____ un élève.

Test

C'est le moment de vérifier tes connaissances du Chapitre 2 !

It's time to check your knowledge of Chapter 2!

Test 2

1. Les objets dans la salle de classe

Write the French word for each of these classroom items.

1.

un _____

4.

une _____

7.

une _____

2.

un _____

5.

une _____

8.

un _____

3.

un _____

6.

un _____

9.

une _____

| 9 |

2. Qu'est-ce que c'est ?

C'est un ... C'est une ...

Write the correct indefinite article (un or une) before each noun.

1. C'est _____ porte.   3. C'est _____ tableau.   5. C'est _____ clé USB.

2. C'est _____ portable.   4. C'est _____ gomme.   6. C'est _____ chaise.

| 6 |

3. Conversation dans la salle de classe

Guillaume parle avec Catherine.

Guillaume is talking with Catherine. Some words have been omitted from their conversation. Choose the correct word for each blank from the list of words provided in the box.

– Bonjour ! Ça va ?

– Ça va bien, _____.

– Moi, je m'appelle Guillaume. Comment tu t'appelles ?

– Je m'appelle Catherine.

– Tu es une élève, Catherine ?

– Oui, je _____ une élève.

– Est-ce qu'il y a un ordinateur _____ la salle de classe ?

– Oui, bien sûr !

– Où _____ l'ordinateur ?

– L'ordinateur est _____ une table.

est
sur
suis
merci
dans

| 5 |

Le test est noté sur 20.

| Total | ___ |
| | 20 |

Chapitre 2 : résumé

 ## 1. Vocabulaire

1. Les salutations

Salut !
Bonjour !
Bonsoir !
Bonne nuit !
Au revoir !
A bientôt !

2. Ça va ?

Ça va ?
Ça va.
Ça va bien, merci.
Ça va très bien.
Ça va mal.
Très mal.
Pas très bien.

 Ça va bien.

 Ça va mal.

3. Les objets dans la salle de classe

un cahier	une carte
un cartable	une chaise
un crayon	une clé USB
un livre	une fenêtre
un ordinateur	une gomme
un stylo	une horloge
un tableau	une porte
	une règle
	une table
	une trousse

Bonjour !
Ça va ?

 ## 2. Grammaire

1. Les articles indéfinis : un, une

un livre, une table, un cahier, une gomme

2. Les questions

1. **Qu'est-ce que c'est ?** C'est un ordinateur.
2. **Est-ce une gomme ?** Oui, c'est une gomme.
3. **Est-ce que c'est une trousse ?** Non, ce n'est pas une trousse. C'est un cartable.
4. **Où est le livre ?** Le livre est dans le cartable.

3. Les prépositions

1. La règle est **dans** le cartable.
2. Le livre est **sur** la table.
3. La clé USB est **sous** le cahier.

In this chapter, you will ...

- learn about life in the countryside in France
- find out about a beautiful French region
- learn the names of farm animals
- listen to a vet ask about the animals
- write an email about a holiday

In grammar, you will ...

- learn the plurals of nouns
- learn the plural of the indefinite article **(des)**

A la campagne

L'agriculture est une industrie importante en France.

Beaucoup de Français habitent et travaillent à la campagne.

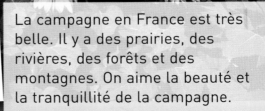

La campagne en France est très belle. Il y a des prairies, des rivières, des forêts et des montagnes. On aime la beauté et la tranquillité de la campagne.

La Provence est belle

1.

La Provence est une très belle région avec des vallées fertiles et des collines.

2.

L'agriculture est importante en Provence. On cultive du raisin et des oliviers.

3.

Le Pont du Gard date de l'époque romaine.

4.

La lavande est cultivée en Provence. Avec la lavande, on fabrique du parfum.

5.

Les villages en Provence sont très pittoresques.

 Compréhension **Lis le texte. Relie les points noirs.**
Join the dots to make correct sentences.

1. Avec la lavande, • • des vignes et des oliviers.
2. En Provence, il y a • • est une construction ancienne.
3. La Provence • • on fabrique du parfum.
4. Le Pont du Gard • • est très belle.

Dans une ferme en Provence

Jérôme et Mélanie visitent une ferme en Provence.

Bienvenue en Provence !

Voici Jérôme et Mélanie. Ils habitent dans un appartement à Paris. Jérôme est journaliste et Mélanie est infirmière. Maintenant, ils sont en vacances dans la ferme de Monsieur Durand en Provence.

Voici Monsieur Durand. Il est fermier. Il habite dans une ferme à Grasse en Provence. Dans la ferme, il y a beaucoup d'animaux. Monsieur Durand aime bien la campagne.

Ecoute le texte.

1.25

La ferme de Monsieur Durand

Paris

Provence

Jérôme et Mélanie sont contents en Provence. Ils préfèrent la vie à la campagne.

Compréhension

Lis le texte. Coche (✓) la grille.

	vrai	faux
1. Monsieur Durand habite à la campagne.	✓	
2. Monsieur Durand aime la campagne.		
3. Mélanie travaille dans un hôpital.		
4. Mélanie et Jérôme n'aiment pas la campagne.		

Les animaux de la ferme

Ecoute le CD.

1.26   The farmer is naming the animals for Jérôme and Mélanie.

Il y a beaucoup d'animaux ici. Voici ...

 un **cochon**   une **vache**   un **mouton**   un **coq**

 une **poule**   un **lapin**   une **chèvre**   un **cheval**

Voilà ...

 un **canard**   un **papillon**   une **grenouille**   un **taureau**

 un **oiseau**   un **chat**   un **chien**   une **souris**

Replay the CD. Listen again to the farmer as he names the animals.
Can you make out the difference in sound between un and une – between a masculine and a feminine noun?

Voici	Here is/are...
Voilà	This is...

 ## Quelle magnifique ferme !

1.27   Jérôme and Mélanie call out the names of the animals they see.
Listen to the CD and write the names in the grid.

	1.	2.	3.	4.	5.	6.
Jérôme	rabbit		hen	sheep		cow
Mélanie		bull		pig		

 ## Travail oral

Line by line, read out the list of animals at the top of the page.
Eventually, you will be able to name them looking only at the pictures.

Exercices

1. Articles indéfinis

Put the indefinite article (un or une) before each noun.

1. _un_ cheval	11. _____ chat	21. _____ canard
2. _une_ poule	12. _____ oiseau	22. _____ ordinateur
3. _____ taureau	13. _____ livre	23. _____ crayon
4. _____ vache	14. _____ porte	24. _____ chaise
5. _____ souris	15. _____ cahier	25. _____ fenêtre
6. _____ papillon	16. _____ clé USB	26. _____ mouton
7. _____ chèvre	17. _____ tableau	27. _____ chien
8. _____ lapin	18. _____ cartable	28. _____ carte
9. _____ grenouille	19. _____ règle	29. _____ table
10. _____ cochon	20. _____ stylo	30. _____ horloge

2. Complète les phrases.

Complete the sentences, looking at the illustrations.

1.  Voici un oiseau et un _____.

2.  Voilà un papillon et une _____.

3. Voici un _____ et une chèvre.

4. Voilà un cahier et un _____.

5. Voici une _____ et une règle.

6.  Voilà un _____ et un _____.

Cherche l'intrus !

Find the odd one out! In the following lists of animals, underline the one in each list which is the odd one out.

1. un cheval, un cochon, une grenouille, une vache
2. un oiseau, un canard, une poule, un coq
3. un chien, un lapin, une chèvre, un papillon
4. un taureau, un chat, une souris, un coq
5. un mouton, une souris, un chat, un chien

Mots croisés : les animaux

Complète les mots croisés.

Can you complete this crossword without looking at the previous pages?

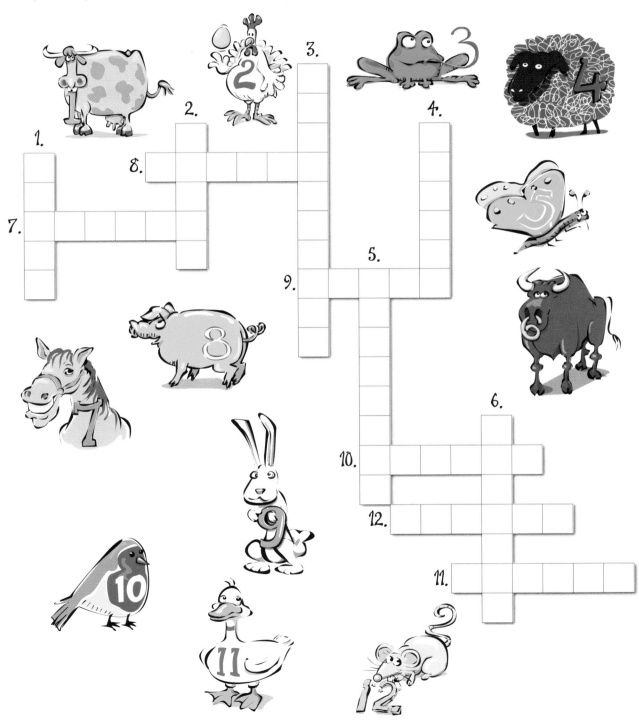

Le pluriel
Plural of nouns

1. In the plural, most French nouns add 's', just like in English. The main difference is that in French the 's' is silent.

garçon ➡ garçon**s**

livre ➡ livre**s**

2. Un and une become des in the plural.

un **garçon** ➡ des **garçons**

un **livre** ➡ des **livres**

une **poule** ➡ des **poules**

3. The plural of **c'est** is ce sont.

(It is → They are)

C'est un crayon. ➡ Ce sont des **crayons**.

C'est une chaise. ➡ Ce sont des **chaises**.

Exercice

Write the plural of the following sentences.

1. C'est un stylo.
   Ce sont des stylos.

2. C'est une vache.
   _____

3. C'est un cahier.
   _____

4. C'est une règle.
   _____

5. C'est un mouton.
   _____

6. C'est une poule.
   _____

7. C'est un chien.
   _____

8. C'est une fenêtre.
   _____

Singulier ou pluriel ?

Ecoute le CD et complète le tableau.

1.28

Listen to this list of items. Some are singular and some are plural. Write each item (indefinite article and noun) in the correct column. Some of them have been done for you.

	singulier	pluriel			singulier	pluriel
1.	une poule			6.	un chien	
2.		des lapins		7.		
3.				8.		
4.	une vache			9.		
5.				10.		

Les pluriels irréguliers
Irregular plurals

You have seen on the previous page how, in English and French, a noun is made plural by adding **'s'**.

However, in English, some nouns have irregular plurals (e.g. child → children, mouse → mice, goose → geese). Similarly, in French, there are nouns that are irregular in the plural.

1. A noun that ends in '**al**' changes to '**aux**'.

Voici un animal.	➡	Voici des animaux.
C'est un cheval.	➡	Ce sont des chevaux.

2. A noun that ends in '**eau**' adds '**x**'.

Voilà un taureau.	➡	Voilà des taureaux.
C'est un oiseau.	➡	Ce sont des oiseaux.

3. If a noun ends in '**s**', '**x**' or '**z**' in the singular, there is no change in the plural.

Voici une souris.	➡	Voici des souris.

Voilà des animaux : des moutons, des vaches, des chevaux, des taureaux, des souris ...

Devoirs

1. Le pluriel

Write the following in the plural.

1. un coq   _des coqs_
2. une chèvre   _____
3. un chien   _____
4. un oiseau   _____
5. une souris   _____

6. un mouton   _____
7. une vache   _____
8. un cheval   _____
9. un taureau   _____
10. une grenouille   _____

2. Ecris les phrases au pluriel.

Write the following sentences in the plural.

1. Voilà un mouton. ➡ _Voilà des moutons._
2. Voici un papillon. ➡ _____
3. Voici une vache. ➡ _____
4. Voilà un animal. ➡ _____
5. C'est un stylo. ➡ _____
6. C'est une fenêtre. ➡ _____
7. C'est une poule. ➡ _____
8. C'est un tableau. ➡ _____
9. Voici une horloge. ➡ _____
10. Voilà un ordinateur. ➡ _____

3. Complète les phrases.

Complete the following sentences.

1. Ce n'est pas un coq ; c'est une __poule__.

2. Ce n'est pas un chat ; c'est un _____.

3. Est-ce un taureau ? Non, c'est une _____.

4. Est-ce une souris ? Non, c'est un _____.

5. – Un cochon, est-ce un animal ?
   – Oui, c'est _____

6. – Un lapin, est-ce un oiseau ?
   – Non, _____.

7. – Voilà un mouton et une chèvre.
   – Oui, ce sont des _____.

8. – Voilà un chien et un chat.
   – Oui, _____ des animaux.

Conversations à la ferme

Le fermier parle avec Jérôme et Mélanie. Lis les conversations.

1.

– Bonjour, Monsieur !
– Bonjour ! Comment tu t'appelles ?
– Je m'appelle Jérôme. J'habite à Paris.
– Bienvenue en Provence, Jérôme.
– Merci, Monsieur.

4.

– Monsieur, qu'est-ce que c'est ? C'est un lapin ?
– Oui, Jérôme. C'est un lapin. Et voilà un cheval.
– Un lapin et un cheval ... ce sont des animaux.

2.

– Voici une vache, Jérôme.
– Et voilà un taureau, Monsieur !
– Oui, Jérôme. C'est un taureau.
Mais attention ! Un taureau est un animal dangereux !

5.

– Excusez-moi, Monsieur. Est-ce un mouton ?
– Non, Mélanie. Ce n'est pas un mouton. C'est une chèvre.

3.

– Bonjour, Mélanie ! Ça va ?
– Ça va bien, merci.
– Voici un lapin, Mélanie.
– Ah oui, Monsieur. Il est sympa ! Moi, j'adore les lapins !

6.

– Voici des poules, Jérôme.
– Oui, Monsieur. Et voilà un coq.
– Non, Jérôme. Ce n'est pas un coq ... C'est un canard !

Conversations à la ferme

1.29 **Ecoute les conversations.**

Listen to the conversations between the farmer and the two young people, Jérôme and Mélanie.

Travail oral en classe

A tour de rôle, chaque élève imagine des dialogues similaires.

Look at the list of animals on page 43. Then, with a classmate, make up similar conversations to the ones above.

Le vétérinaire visite la ferme

1.30

Madame Dumoulin est vétérinaire.

Elle aime les animaux et la vie à la campagne.

Aujourd'hui, elle visite la ferme de Monsieur et de Madame Durand.

D'abord, elle pose des questions à Monsieur Durand au sujet des animaux.

Ecoute la conversation entre le vétérinaire et le fermier.
Listen to the conversation between the vet and the farmer. Fill in the details in the grid.

– Bonjour, Madame. Bienvenue à la ferme.

– Merci, Monsieur. Il y a un cheval à la ferme ?

– Oui, Madame. Il y a un cheval ici.

– Il va bien, le cheval ?

– Oui, il va très bien.

– Et le taureau ?

– Le taureau est fatigué.

– Ah ! Voici le chien !

– Oui, le chien s'appelle Toutou.
 Mais il ne va pas bien aujourd'hui.

– Et les chèvres ?

– Elles sont malades aussi.

– Et les lapins ?

– Ça va très bien, les lapins.

– Et vous, Monsieur ?

– Ça va bien, merci.

		Comment ça va? How are they?
1.	horse	He's very well.
2.	bull	He's tired.
3.	dog	He's not well today.
4.	goats	
5.	rabbits	
6.	Monsieur Durand	

Conversation entre le vétérinaire et Madame Durand

1.31

Le vétérinaire pose des questions à Madame Durand.
Ecoute la conversation et écris les détails dans le tableau.

		Comment ça va?
1.	cow	She's well.
2.	pig	
3.	cock	
4.	hens	
5.	ducks	
6.	Madame Durand	

Un mail

Un mail, c'est un email ... ou un mél.

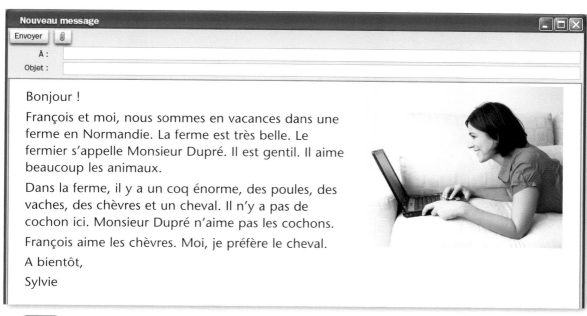

Nouveau message _ □ ✕

Envoyer | 📎

À :

Objet :

Bonjour !

François et moi, nous sommes en vacances dans une ferme en Normandie. La ferme est très belle. Le fermier s'appelle Monsieur Dupré. Il est gentil. Il aime beaucoup les animaux.

Dans la ferme, il y a un coq énorme, des poules, des vaches, des chèvres et un cheval. Il n'y a pas de cochon ici. Monsieur Dupré n'aime pas les cochons.

François aime les chèvres. Moi, je préfère le cheval.

A bientôt,

Sylvie

Compréhension

Lis le mail de Sylvie. Ecris des réponses aux questions suivantes.

1. Who is on holidays with Sylvie?
2. Where is the farm?
3. What animals are on the farm?
4. Which animal is not on the farm?
5. Which animal does François like?
6. Which animal does Sylvie prefer?

Ecris un mail !

Write an email…

1. To start your email:
   Like Sylvie, use a simple greeting such as '**Bonjour**' or '**Salut**'.
2. To finish your email:
   Write '**A bientôt**' which means 'See you soon'.
3. Don't forget to put your name at the end.

Un mail : vacances dans une ferme

Write an email similar to the one written by Sylvie – describing your holidays on a farm. Vary the details to make it your own personal email.

1. Qu'est-ce que c'est ?

Write down the caption for each of these pictures.

Utilise : C'est un ... C'est une ... Ce sont des ...

1.    *C'est une vache.*

2.

3.

4.   *Ce sont des poules.*

5.

6.

7.

8.

9.

10.

11.

12.

13.

14.

2. Un mail

« Salut ! J'habite dans une ferme à la campagne en Irlande. Il y a beaucoup d'animaux ici à la ferme ... »

Write an email describing the animals on the farm that you live on – or a farm that you have visited.

1. Travail oral en classe : questions et réponses

One student reads the question. Another student replies.

Exemple :
– Est-ce que c'est un cheval ? ⟶
– Non. C'est un taureau.

1.
Est-ce que c'est un canard ?

2.
Est-ce que c'est un mouton ?

3.
Est-ce que c'est une poule ?

4.
Est-ce que c'est un papillon ?

5.
Est-ce que ce sont des chiens ?

6.
Est-ce que ce sont des vaches ?

7.
Est-ce que c'est un coq ?

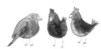

8.
Est-ce que ce sont des animaux ?

Jérôme et Mélanie sont en Provence.
Ecoute le CD.

1.32

Jérôme and Mélanie are listing out the animals they can see on the farm in Provence.
Listen to the CD and write down their lists.

Voici ...	et voilà ...
1. une vache	un taureau
2. un coq	
3.	un cheval
4. des cochons	
5.	des chiens
6.	

La vie à la campagne

Ecoute le CD et complète le tableau.

1.33

What animals are mentioned by Sophie and André as they describe life on another farm?
Listen to the CD and tick the correct boxes.

	cow	bull	sheep	horse	hens	rabbits	ducks	goats
Sophie			✓					
André								

Test

C'est le moment de vérifier tes connaissances du Chapitre 3 !

Test 3

1. Identifie les animaux

Qu'est-ce que c'est ?

Write the French noun for each of these animals.

1.

une _____

3.

un _____

2.

un _____

4.

un _____

4

2. Articles indéfinis

Ecris un, une ou des.

Write the correct indefinite article (un, une or des) before each noun.

1. _____ coq

2. _____ moutons

3. _____ chat

4. _____ lapins

5. _____ chèvre

6. _____ chiens

7. _____ oiseau

8. _____ papillon

8

3. Le pluriel

Ecris les noms au pluriel.

Write the plural of the following nouns.

1. un mouton → __des_____

2. une vache → __des_____

3. un lapin → __des_____

4. un animal → __des_____

5. un oiseau → __des_____

6. un cheval → __des_____

7. une souris → __des_____

8. un chien → __des_____

8

Le test est noté sur 20.

Total	
	20

Chapitre 3 : résumé

 ## 1. Vocabulaire

1. Les animaux

un canard	un lapin	une chèvre
un chat	un mouton	une grenouille
un cheval	un oiseau	une poule
un cochon	un papillon	une souris
un coq	un taureau	une vache

2. Les expressions

1. C'est ...

   C'est un chien.

2. Ce sont ...

   Ce sont des chiens.

3. Voici ...

   Voici un chat.

4. Voilà ...

   Voilà un oiseau.

Voilà une poule !

 ## 2. Grammaire

1. Les articles indéfinis :

un, une, **des**

un cheval

une vache

des moutons

2. Le pluriel des noms :

un garçon → **des** garçon**s**

une fille → **des** fille**s**

3. Les pluriels irréguliers :

un anim**al** → **des** anim**aux**

un taur**eau** → **des** taur**eaux**

une souri**s** → **des** souri**s**

In this chapter, you will ...

- learn the numbers 1–20
- say your age
- ask how old someone is
- tell how many brothers and sisters you have
- read some blogs
- write your own blog

In grammar, you will ...

- learn the verb **avoir** (to have)
- see surprising situations where **avoir** is used
- learn how to say 'There is'/'There are' (**Il y a**)

4

Un, deux, trois ...

Isabelle habite à Strasbourg dans l'Est de la France. Elle a 20 ans. Elle a deux frères, Lucas et Pierre. Elle n'a pas de sœur.

Simon habite à Rennes en Normandie. Il a quinze ans. Il a un frère, Jean, et une sœur, Hélène. Il aime les maths.

Les nombres

Les nombres : 1–20

Travail oral

Ecoute encore les nombres.
Prononce chaque nombre.
Listen once more to the numbers and
pronounce each number in the pause.

1.34

Ecoute les nombres de 1 à 20 sur le CD.
Listen to the numbers 1–20 on the CD.

1	un		**11**	onze
2	deux		**12**	douze
3	trois		**13**	treize
4	quatre		**14**	quatorze
5	cinq		**15**	quinze
6	six		**16**	seize
7	sept		**17**	dix-sept
8	huit		**18**	dix-huit
9	neuf		**19**	dix-neuf
10	dix		**20**	vingt

Un, Deux, Trois ...

Pierre had so many kittens that he ran out of
names and had to turn to numbers instead.
There were three in the latest litter so he
called them Un, Deux, Trois. One day in
winter, these kittens ran onto a frozen pond.
The ice was very thin and it broke beneath
them so: **Un, Deux, Trois cats sank!**

Ecoute et écris !

1.35

Ecoute le CD et écris les nombres.

1. You will hear numbers between 1
   and 10, in any order. Write them here:

3		9							

2. You will hear numbers between 11
   and 20, in any order. Write them here:

12		17							

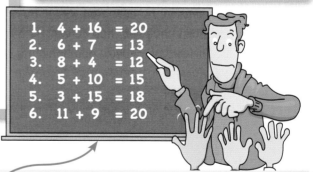

1.	4 + 16	= 20
2.	6 + 7	= 13
3.	8 + 4	= 12
4.	5 + 10	= 15
5.	3 + 15	= 18
6.	11 + 9	= 20

Les additions

Regarde le tableau. Ecris chaque addition en lettres.

Exemple :

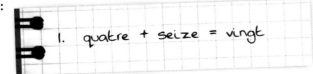

1. quatre + seize = vingt

In your copybook, write out in words the sums shown on the board. The first one has been done for you.

Combien de ...?

Question : Combien de vélos y a-t-il ici ?

Réponse : Il y a deux vélos ici.

Combien de ?	How many?
Il y a	There is/There are
Y a-t-il ?	Is there/Are there?
ici	here

Travail oral à deux

Regarde les dessins.

Un(e) élève pose la question. Un(e) autre élève donne la réponse.

Look at the pictures. One student asks the question. Another student replies.

1. Combien de maisons y a-t-il ici ?

2. Combien de bateaux y a-t-il ici ?

3. Combien de chevaux y a-t-il ici ?

4. Combien de souris y a-t-il ici ?

5. Combien de lapins y a-t-il ici ?

6. Combien d'oiseaux y a-t-il ici ?

Continue oralement l'exercice !

7.

Combien de livres ... ?

8. Combien de ... ?

9.

10.

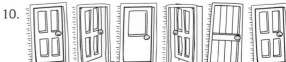

Exercices

1. Ecris chaque nombre en lettres.

Write each number as a word.

5	cinq	7		17	
9		12		8	
13		19		20	
18		16		15	
4		14		11	

2. Combien de ... ? Question et réponse

Regarde les dessins. Pour chaque dessin, écris la question et la réponse.

Look at the pictures. For each picture, write the question and the reply. The first one has been done for you.

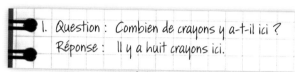

l. Question : Combien de crayons y a-t-il ici ?
Réponse : Il y a huit crayons ici.

1.

2.

3.

4.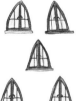

5.

6.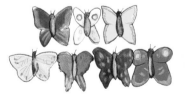

7.

8.

9.

Verbe important : AVOIR

Avoir is the second most important verb in French. It is irregular.

Present tense of AVOIR (to have)

J'	ai	➜	I have
Tu	as	➜	You have
Il	} a	➜	He } has
Elle		➜	She
Nous	avons	➜	We have
Vous	avez	➜	You have
Ils	} ont	➜	They have
Elles			

J'ai un chat.

1.36 Ecoute le verbe **avoir** sur le CD. Pendant les pauses, répète le verbe. Listen to the verb **avoir** on CD. In the pauses, repeat the verb. Learn it by heart!

Interrogative

Ai-je ?
As-tu ?
A-t-il ?
A-t-elle ?
Avons-nous ?
Avez-vous ?
Ont-ils ?
Ont-elles ?

As-tu un chien ?

Oui, j'ai un chien.

⊙ By inversion: pronoun follows the verb.
  Tu as → As-tu ?
⊙ Note how '**t**' is introduced with **il** and **elle**. It sounds easier on the ear.
  Il a → A-t-il ?
  Elle a → A-t-elle ?
⊙ Questions can also be asked with
  Est-ce que ...?
  Est-ce que tu as ...?
→ **Est-ce qu'il a ...?**

Note that 'e' drops out of 'que' before a vowel.

Negative

Je n'ai pas de chien.

Je n'ai pas
Tu n'as pas
Il n'a pas
Elle n'a pas
Nous n'avons pas
Vous n'avez pas
Ils n'ont pas
Elles n'ont pas

⊙ Put **ne** before verb and **pas** after. **Ne** becomes **n'** before a vowel.
  e.g. **Je n'ai pas**.
⊙ Note that '**e**' returns to **Je** when not followed by a vowel.
  J'ai → Je n'ai pas.
⊙ **Un**, **une** and **des** become **de** in a negative sentence.
  J'ai **un** stylo.
  Je n'ai pas **de** stylo.
  J'ai **une** règle.
  Je n'ai pas **de** règle.
  J'ai **des** crayons.
  Je n'ai pas **de** crayons.

Travail oral : réponds aux questions

Answer these questions.

1. As-tu un chat à la maison ?
2. As-tu un cheval ?
3. Est-ce que tu as des poules à la maison ?
4. Est-ce que tu as des lapins ?

Devoirs Deux verbes importants : avoir et être

1. Ecris les verbes à la forme négative.

Write the verbs in the negative form.

N'oublie pas le verbe **être**, page 10 !

AVOIR			ÊTRE		
1. J'ai	→	Je n'ai pas	1. Je suis	→	Je ne suis pas
2. Nous avons	→		2. Nous sommes	→	
3. Elles ont	→		3. Ils sont	→	
4. Tu as	→		4. Tu es	→	
5. Vous avez	→		5. Vous êtes	→	
6. Il a	→		6. Elle est	→	

2. Ecris les verbes à forme interrogative. Utilise l'inversion.

Write the verbs in the interrogative form, using inversion.

1. Nous avons	→	Avons-nous ?	6. Elles sont	→	Sont-elles ?
2. Ils ont	→		7. Vous êtes	→	
3. Tu as	→		8. Vous avez	→	
4. Il a	→		9. Tu es	→	
5. Il est	→		10. Elle a	→	

3. Complète les phrases.

Utilise le verbe avoir ou être à la forme correcte.
Complete the sentences, using the correct parts of the verbs avoir or être.

Exemple :   J' ... un stylo. → J'ai un stylo.

1. Vous ... un chat. → Vous avez un chat.
2. Je ... journaliste. → Je suis journaliste.
3. Il ... des chèvres. →
4. Nous ... un ordinateur. →
5. Il ... Français. →
6. Tu ... malade. →
7. Nous ... en Provence. →
8. Elle ... une trousse. →
9. Vous ... à Paris. →
10. Elles ... des chevaux. →

Quel âge as-tu ?
What age are you?

To say how old you are in French, you use the verb **avoir**. So, instead of saying 'I am twelve', you say 'I have twelve years'.

Bonjour ! Je m'appelle Thierry. J'ai douze ans.

1.

2.

Bonjour ! Je m'appelle Corinne. J'ai treize ans.

3.

Salut !
Je m'appelle Nicole.
J'ai seize ans.
J'habite à la campagne en Auvergne en France.
J'ai un poney. Je n'ai pas de chien.

Et toi ? Comment tu t'appelles et quel âge as-tu ?

Complète la bulle pour donner ton nom et ton âge.
Fill in the speech bubble to give your name and age.

Salut !
Je m'appelle _____ .
J'ai _____ ans.

Travail oral à deux

Un élève pose les questions. Un autre élève donne les réponses.

1. **Comment tu t'appelles ?** → Je m'appelle _____ .
2. **Quel âge as-tu ?** → J'ai _____ ans.

Work in pairs. One student asks the questions. Another student replies.
Go right around the class. Involve every student.

Comment tu t'appelles ? Quel âge as-tu ?

1.37 **Ecoute le CD. Ecris le nom et l'âge de chaque personne.**
Listen to the CD. Write down the name and age of each person.

1.

Nom	Charles
Age	13

2.

Nom	Caroline
Age	

3.

Nom	
Age	12

4.

Nom	Corinne
Age	

5.

Nom	François
Age	

6.

Nom	
Age	14

7.

Nom	
Age	

8.

Nom	
Age	

Combien de frères as-tu ?
Combien de sœurs as-tu ?

J'ai un frère et une sœur.

1.

J'ai deux frères et trois sœurs.

2.

Combien de frères as-tu ?	How many brothers have you?
Combien de sœurs as-tu ?	How many sisters have you?
un frère	a brother
une sœur	a sister

Je n'ai pas de frère.
Je n'ai pas de sœur.

3.

⊙ 'One' is **une** before a feminine noun. – J'ai **une** sœur.
⊙ **Un**, **une** and **des** become **de** after **pas**. – Je n'ai **pas** de frère.

 Travail oral pour chaque élève !

Combien de frères et de sœurs as-tu ?

Every student answers the question aloud to the class.

Quatre Français : combien de frères et de sœurs ont-ils ?

1.38 **Ecoute le CD. Complète les phrases.**

Listen carefully as four young French people talk about themselves. They also talk about their brothers and sisters. Fill in the missing words in the blanks.

1. « Salut ! Je m'appelle **Paul.** J'ai _____ ans. J'habite à Lille. J'ai une sœur, _____. Elle a _____ ans. Je n'ai pas de frère. »

2. « Bonjour ! Je m'appelle **Jacqueline.** J'habite à _____. J'ai deux frères, Antoine et _____. Je n'ai pas de _____. »

3.  «Bonjour ! Je m'appelle **Yves.** J'ai un frère, Edouard. Il a _____ ans. J'ai une sœur, _____. Elle a 20 ans. Nous habitons dans un appartement à _____. »

4.  «Salut ! Moi, je m'appelle **Céline.** J'ai _____ ans. J'ai un frère, Simon, et une sœur, Catherine. Simon a _____ ans et Catherine a 14 ans. Nous aimons le sport. »

Des blogs

1. Bonjour ! Je m'appelle **Mathilde**. J'ai 12 ans. J'habite à Biarritz. J'ai un frère. Il s'appelle Cédric. Je n'ai pas de sœur. Nous avons deux chiens. Un chien s'appelle Médor et l'autre César.

2. Salut ! Je m'appelle **Serge**. J'ai une sœur, Isabelle. Elle a neuf ans. Moi, j'ai treize ans. Nous habitons à Quimper, en Bretagne. Nous aimons les chevaux. Nous habitons dans un appartement. Alors, nous n'avons pas de cheval.

3. Salut ! Je m'appelle **Pauline**. J'ai 14 ans et j'ai deux sœurs, Marie et Virginie. Marie a 20 ans. Elle est infirmière. Virginie a 18 ans. Nous habitons à Besançon. Nous avons un chien, Rustic, et un chat, Mistic. Rustic n'aime pas Mistic !

4. Bonjour ! Je m'appelle **Louis**. J'ai 11 ans. Je n'ai pas de frère et je n'ai pas de sœur. J'habite à Lyon. J'aime Lyon – c'est une très belle ville. J'ai un lapin. Il s'appelle Fitou. Il a deux ans. Il aime les carottes. Il n'aime pas les chiens !

 Compréhension Lis les blogs. Dans un cahier, réponds aux questions.

Read the blogs. In a copybook, reply to the questions.

1.	Who lives in Brittany?	5.	What does Marie do for a profession?
2.	Who has no brothers or sisters?	6.	How do Rustic and Mistic get on?
3.	What kind of a pet is Médor?	7.	What pet does Louis have?
4.	What do Serge and Isabelle like?	8.	What does Louis say about Lyon?

 On lit les blogs

1.39 **Ecoute les blogs des quatre Français : Mathilde, Serge, Pauline et Louis.**

Listen as the four young French people read their blogs.

 Compose ton blog !

Write your own blog, similar to the ones you have read and heard. Use these questions to guide you.

– Comment tu t'appelles ?
– Quel âge as-tu ?
– Où est-ce que tu habites ?
– Tu as un frère/des frères ?
– Quel âge a-t-il/ont-ils ?
– Tu as une sœur/des sœurs ?
– Quel âge a-t-elle/ont-elles ?
– Vous avez un animal domestique (un chat, un chien, un lapin) ?

Dans la rue …

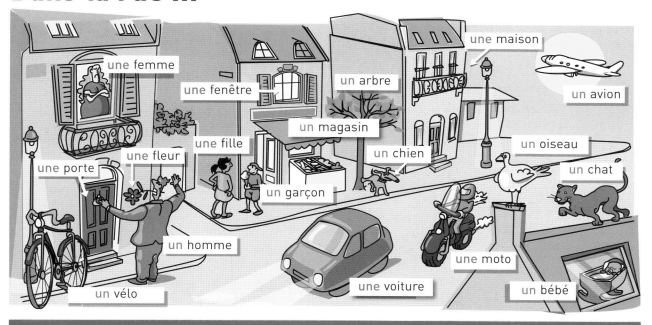

une maison	a house	un magasin	a shop	un oiseau	a bird
un homme	a man	un vélo	a bicycle	un chat	a cat
une femme	a woman	une voiture	a car	un chien	a dog
un garçon	a boy	une moto	a motorbike	un avion	a plane
une fille	a girl	un arbre	a tree	une porte	a door
un bébé	a baby	une fleur	a flower	une fenêtre	a window

 ## L'article indéfini

It is an essential part of the French language to know the gender of a noun that you are using. Every noun will either be masculine or feminine.

As you saw on page 28, every noun can put un or une in front of it in the singular – depending on whether it is masculine or feminine. Un/une is called the indefinite article. This word will indicate the gender of a noun.

Study the nouns in the picture above. As well as learning the names for things, look closely at each noun to see whether it has un or une in front of it.

N'oublie pas !
Reminder! Un and une become des in the plural!
un arbre → des arbres
une fleur → des fleurs

 ## Dans la rue …

1.40

Ecoute le CD. Masculin ou féminin ?
Listen to the vocabulary on CD. Pay particular attention to the indefinite article. Can you hear the difference in pronunciation between un and une?

 ## Travail oral

A tour de rôle, pendant les pauses, chaque élève répète le vocabulaire.

Replay the CD. In the pause, each student says an item (indefinite article + noun).

Tu as une bonne mémoire ?

Masculin ou féminin ?

All objects, as well as people, are masculine or feminine in French.

Without looking back at the previous page, write what each item is ... with **un**, **une** or **des** before each noun.

1.	une femme
2.
3.
4.
5.
6.
7.
8.
9.
10.
11.
12.
13.

1.	2.	3.	4.	5.	6.	7.	8.	9.	10.	11.	12.	13.

Combien de ... ?

1.41 – Combien de fenêtres y a-t-il dans la maison ?
Ecoute les questions et les réponses.
Complète le tableau.

Combien de ... ?	Nombre	Où
1. fenêtres	9	la maison
2. vélos		le magasin
3. voitures		la rue
4. oiseaux		l'arbre
5. motos		le garage
6. livres		le cartable
7. gommes		la trousse
8. filles		la classe

Compose des phrases

Utilise les détails du tableau pour écrire huit phrases complètes.

Use the details in the grid on the left to write 8 complete sentences.

e.g. Il y a neuf fenêtres dans la maison.

Questions et réponses : on utilise le verbe avoir

Trouve les bonnes paires !
People are asking questions, and getting replies – using the verb **avoir**.
Find the correct match for each question and answer.

1. Quel âge as-tu ?
2. Combien de chats avez-vous ?
3. Combien de frères as-tu ?
4. Est-ce que tu as un poney ?
5. Est-ce que tu as un vélo ?
6. Vous avez un animal domestique ?
7. Est-ce que tu as une moto ?
8. Avez-vous une voiture ?

- Nous avons trois chats.
- Oui, j'ai un poney.
- J'ai quatorze ans.
- Oui, j'ai un vélo.
- Non, je n'ai pas de moto !
- Je n'ai pas de frère.
- Oui, nous avons une Peugeot.
- Oui, nous avons un chien.

Travail oral

A tour de rôle, chaque élève pose les questions de l'exercice précédent à son voisin de classe.
Note les différences dans les réponses.
Each student puts the questions of the previous exercise to the classmate sitting beside him/her. Note the differing replies from the ones above.
Then write a written account of your classmate, using the information from the answers.

Exemple :

Roger a douze ans. Il a un frère et une sœur.
Il n'a pas de chien mais il a un chat.
Il a un vélo. Il n'a pas de moto.
Ils ont deux voitures, une Toyota et une Ford.

Six interviews

1.42

On pose des questions à six personnes. Ecoute le CD et complète le tableau.

Six people will be asked their name, age and number of brothers/sisters. Fill in the grid.

	Name	Age	Number of brothers	Number of sisters
1.	Françoise	13	1	
2.	Vincent			
3.	Carole			
4.	Adrien			
5.	Sylvie			
6.	Guillaume			

Devoirs

1. L'article indéfini

Pour chaque nom, complète avec un ou une.
Put un or une in front of each noun.

1. _____un_____ magasin
2. _____ voiture
3. _____ vélo
4. _____ arbre
5. _____ fleur
6. _____ cheval
7. _____ lapin
8. _____ souris
9. _____ vache
10. _____ cahier
11. _____ papillon
12. _____ ordinateur
13. _____ porte
14. _____ oiseau
15. _____ moto

2. Le pluriel

Ecris au pluriel.
Write the following in the plural.

1. un homme _____des hommes_____
2. une fille _____
3. un avion _____
4. une maison _____
5. une souris _____
6. un stylo _____
7. un cartable _____
8. une trousse _____
9. une règle _____
10. un canard _____
11. une chèvre _____
12. un taureau _____
13. un animal _____
14. un oiseau _____
15. un bateau _____

3. Ecris des questions

Transforme chaque phrase en une question.
Utilise Est-ce que ... ? ou l'inversion.
Turn these statements into questions, using Est-ce que ... ? or the inversion method.

1. Vous avez une voiture. _____Est-ce que vous avez une voiture ?_____
2. Ils ont un magasin. _____Ont-ils un magasin ?_____
3. Tu es fatigué. _____
4. Nous sommes heureux. _____
5. Il a un frère. _____
6. Elle a une sœur. _____
7. Tu as une moto. _____
8. Il est à Paris. _____
9. Vous êtes heureux. _____
10. Ils sont à Paris. _____
11. Vous avez un ordinateur. _____
12. Elles sont en France. _____

D'autres expressions avec le verbe avoir
Other phrases with the verb avoir

1. Earlier in this chapter, you have seen and heard people using the verb 'avoir' to show that they 'have' something:

    e.g. **J'ai** un vélo.

    Elle **a** une voiture.

    Nous **avons** un chien.

2. You have also seen that **avoir** is used to express age:

    e.g. **J'ai** treize ans.

    I am thirteen years old.

    The literal translation of the French is:

    'I have thirteen years.'

    In other words, where we use the verb 'to be', the French use avoir.

3. There are a few more situations where the French use 'avoir' and we use the verb 'to be'. Study the list of phrases in the box on the right. ➡

avoir chaud	to be warm
avoir froid	to be cold
avoir faim	to be hungry
avoir soif	to be thirsty
avoir raison	to be right
avoir tort	to be wrong
avoir peur	to be afraid
J'ai chaud	I am warm
Tu as froid	You are cold
Il a faim	He is hungry
Vous avez soif	You are thirsty
Elle a raison	She is right
Ils ont tort	They are wrong
Nous avons peur	We are afraid

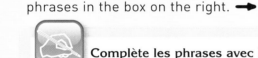

Complète les phrases avec la forme correcte du verbe avoir.

Write the correct part of the verb avoir in the blank.

1. Tu _____ as _____ chaud.
2. Nous _____ peur.
3. Elle n' _____ pas tort.
4. Ils n' _____ pas faim.
5. _____ -vous soif ?
6. _____ -nous raison ?
7. Est-ce que vous _____ tort ?
8. Est-ce qu'il _____ faim ?
9. Est-ce que j'ai raison ? Non, tu _____ tort.
10. A-t-il chaud ? Non, il _____ froid.

1. **Anne**	2. **Thomas**	3. **Luc**	4. **Julie et Nicole**
« J'ai froid »	« J'ai un lapin »	« J'ai peur »	« Nous avons chaud »
5. **Jean**	6. **Marthe**	7. **Alain et Paul**	8. **Corinne**
« J'ai raison »	« J'ai faim »	« Nous avons tort »	« J'ai douze ans »

 Travail oral   Regarde les dessins. Réponds oralement aux questions.

1. Qui a peur ? → Luc a peur.
2. Qui a froid ?
3. Qui a chaud ?
4. Qui a un lapin ?
5. Qui a faim ?
6. Qui a douze ans ?
7. Qui a raison ?
8. Qui a tort ?

1. Qu'est-ce que c'est ?

C'est un ...   C'est une ...

2. Aide l'arbitre !

Un, deux, trois ...
Help the referee count to ten.

3. Trouve le champion/la championne de la classe !

Two students say aloud the numbers 1–20, taking turns to say every second number.
The student who hesitates ... is knocked out!
Find the class champion!

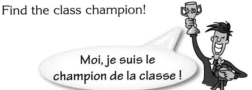

Moi, je suis le champion de la classe !

4. Détails personnels

Réponds aux questions.
1. – Comment tu t'appelles ?
2. – Quel âge as-tu ?
3. – Combien de sœurs as-tu ?
4. – Combien de frères as-tu ?
5. – As-tu un vélo ?
6. – As-tu un chien ou un chat ?
7. – As-tu soif ?
8. – As-tu faim ?

1. Moi, je m'appelle ...

Ecris un paragraphe pour te présenter.
Utilise les questions de l'exercice 4 comme guide.
Write a paragraph to describe yourself. Use the questions and answers of the previous exercise to guide you.

Moi, je m'appelle ...

2. Replace les briques dans le mur !

Replace the bricks which have fallen from the wall.

AVOIR
J'
as
Il
a
Nous
avez
Ils
ont

ont
avons
Elle
Tu
ai
a
Elles
Vous

3. L'article indéfini

Pour chaque nom, complète avec un, une ou des.
Write un, une or des in front of these nouns.

1. __un__ homme
2. _____ femme
3. _____ arbre
4. _____ maisons

5. _____ vélo
6. _____ magasin
7. _____ oiseau
8. _____ chats

9. _____ moto
10. _____ portes
11. _____ fleur
12. _____ garçon

4. La forme négative

Ecris les phrases à la forme négative.
Write the following sentences in the negative.

1. J'ai un chien.

   Je n'ai pas de chien.

2. Tu as une voiture.

   _____

3. Il a des frères.

   _____

4. Nous avons peur.

   _____

5. Ils ont des chats.

   _____

6. Il a raison.

   _____

Les nombres de 1 à 20

Ecoute le CD et écris les nombres.

1. 3
2. 8
3.
4.

5.
6.
7.
8.

9.
10.
11.
12.

1.43

Vrai ou faux ?

Aide un élève irlandais. Il comprend mal le français !
Pour chaque phrase, a-t-il raison ou a-t-il tort ?
Help an Irish student. He does not understand French too well!
For each sentence that he translates, say whether he is right or wrong.

1. Les filles ont soif.
2. Monsieur Dupont n'a pas peur.
3. Paul a un vélo.
4. Le professeur a une moto.
5. Guillaume a quinze ans.
6. Il y a seize gommes dans la classe.
7. Elle a froid. Elle est malade.

1. The girls are hungry. ✗
2. Monsieur Dupont is not afraid. ✔
3. Paul has a bicycle.
4. The teacher has a car.
5. William is five years old.
6. There are 16 rulers in the class.
7. She is cold. She is sick.

Test

C'est le moment de vérifier tes connaissances du Chapitre 4 ! Bonne chance !

Test 4

1. Qu'est-ce que c'est ?

1.

2.

3.

4.

C'est une _____   C'est un _____   C'est un _____   C'est une _____ | 4 |

2. Le pluriel

Ecris au pluriel.
Write these nouns in the plural.
e.g. un arbre → des arbres

| 4 |

1. un chat → des _____   3. une fleur → des _____
2. un animal → des _____   4. un bateau → des _____

3. Les nombres de 1 à 20

Ecris chaque nombre en lettres.

e.g. | 9 | → neuf

1. | 8 | → _____   3. | 13 | → _____
2. | 11 | → _____   4. | 17 | → _____

| 4 |

4. Le verbe AVOIR

Complète le tableau avec la forme correcte du verbe avoir.
Complete the grid with the correct parts of the verb avoir.

AVOIR	
J'	ai
Tu	
Il	a
Elle	a
Nous	
Vous	
Ils	ont
Elles	

| 4 |

5. L'article indéfini

Complete les phrases avec un, une, des ou de.
Write the correct indefinite article (un, une, des or de) in the blank.
e.g. Il y a ___un___ homme dans le magasin.

1. Il y a _____ crayon sur la table.
2. Il y a _____ trousse dans le cartable.
3. Il y a _____ oiseaux sur l'arbre.
4. Elle a deux frères. Elle n'a pas _____ sœur.

| 4 |

Comme toujours, le test est noté sur vingt.

| Total | 20 |

Chapitre 4 : résumé

1. Vocabulaire

1. Les nombres 1 → 20

Un, deux, trois ... dix-huit, dix-neuf, vingt.

2. Des expressions avec le verbe AVOIR

1. Pour dire l'âge e.g. J'ai douze ans.

Elle a seize ans.

2. D'autres expressions avec AVOIR

avoir chaud	avoir raison
avoir froid	avoir tort
avoir faim	avoir peur
avoir soif	

Moi, j'ai chaud !

3. Des questions

1. Combien de frères as-tu ?
Combien de sœurs as-tu ?

2. Quel âge as-tu ?
Quel âge a-t-il ?
Quel âge a-t-elle ?

3. Combien de maisons y a-t-il dans la rue ?

4. Est-ce que tu as des frères ?
Est-ce que tu as des sœurs ?

2. Grammaire

1. Verbe irrégulier : AVOIR

AVOIR	
J'	ai
Tu	as
Il	a
Elle	a
Nous	avons
Vous	avez
Ils	ont
Elles	ont

2. L'article indéfini : un, une, des

J'ai un frère.
Elle a une sœur.
Ils ont des lapins à la maison.

3. L'article indéfini dans la forme négative

un, une, des → de
Je n'ai pas de frère.
Elle n'a pas de sœur.
Ils n'ont pas de lapins à la maison.

In this chapter, you will ...

- study a family tree
- learn the names for members of the family
- study some family portraits
- follow a family on a visit to Paris
- learn the numbers 20–69

In grammar, you will ...

- study the definite article (**le, la, les**)
- find out how to show possession with **de**
- see what happens when **de** comes before **le** and **les**
- study the important –ER group of regular verbs

5

La famille

Voici la famille Roulier : le père, la mère, le fils et la fille. Ils sont en promenade à la campagne. Ils admirent la beauté des arbres.

Luc et Anne sont en vacances dans les Alpes. Luc est le frère d'Anne et, bien entendu, Anne est la sœur de Luc ! Ils adorent l'air pur des montagnes en hiver.

La famille Lefèvre

Etudie l'arbre généalogique de la famille Lefèvre.

la fille

le fils

la cousine

le cousin

3. les enfants

5. les cousins

la mère

le père

l'oncle

la tante

2. les parents

4. l'oncle et la tante

le grand-père

la grand-mère

1. les grands-parents

Membres de la famille	noms
1. les grands-parents	
le grand-père	Armand
la grand-mère	Jeanne
2. les parents	
le père	
la mère	Chantal
3. les enfants	
le fils	
la fille	Stéphanie
4. l'oncle et la tante	Jean
l'oncle	
la tante	
5. les cousins	Xavier
le cousin	
la cousine	

Voici la famille Lefèvre.

Les grands-parents s'appellent Armand et Jeanne.

Luc et Chantal sont les parents. Ils ont deux enfants, Marc et Stéphanie.

La famille Lefèvre

1.44

Ecoute le CD.
Complete le tableau.
Write the missing names in the grid above.

Travail oral : comment s'appelle ...?

Chaque élève choisit un membre de la famille.
Un(e) élève pose la question. Un(e) autre élève donne la réponse.
e.g. – Comment s'appelle le grand-père ?   – Il s'appelle ...
     – Comment s'appelle la mère ?   – Elle s'appelle ...
In turn, pick a member of the Lefèvre family. One student asks his/her name. Another student gives the answer.

L'article défini – le, la, les
The definite article – the

You will notice in the list of nouns below that there are three words in French for 'the'.

le **père**   the father
la **mère**   the mother
les **enfants**   the children

1. Le is used with nouns that are masculine:

   le **frère**   the brother
   le **mari**   the husband

2. La is used with nouns that are feminine:

   la mère   the mother
   la tante   the aunt

3. **Les** is used with nouns that are **plural**. It does not matter whether the nouns are masculine or feminine:

   les **frères**   the brothers
   les **sœurs**   the sisters
   les **nièces**   the nieces
   les **grands-parents**
              the grandparents

N.B. When a noun starts with a vowel or a silent 'h', both le and la become l'.

So this means that you can't instantly tell whether a noun is masculine or feminine just by looking at the definite article.

l'**oncle**   the uncle
l'**arbre**   the tree
l'**homme**   the man
l'**école**   the school

Oncle, **arbre** and **homme** are masculine. **Ecole** is feminine. Try to remember the gender the next time you come across these nouns.

La famille

1.45   Qui sont les membres de la famille ? Ecoute le CD.
Listen to the list of nouns which gives the members of the family.
Pay close attention also to the definite article: le, la, **les**.

La famille	
les **parents**	the parents
le **père**	the father
la **mère**	the mother
le **mari**	the husband
la **femme**	the wife
le **fils**	the son
la **fille**	the daughter
le **frère**	the brother
la **sœur**	the sister
le **beau-père**	the stepfather
la **belle-mère**	the stepmother
le **demi-frère**	the stepbrother
la **demi-sœur**	the stepsister
les **grands-parents**	the grandparents
le **grand-père**	the grandfather
la **grand-mère**	the grandmother
l'**oncle**	the uncle
la **tante**	the aunt
le **neveu**	the nephew
la **nièce**	the niece
les **cousins**	the cousins
le **cousin**	the cousin (m)
la **cousine**	the cousin (f)

Travail oral : la famille

Ecoute encore le CD.
A tour de rôle, pendant les pauses, chaque élève prononce les mots.

Exercices

1. L'article défini

Pour chaque nom, écris l'article défini (le, la, l' ou les).
Write the definite article (le, la, l' or les) before each noun.

1. __la__ mère
2. __le__ père
3. _____ enfants
4. _____ frère
5. _____ sœur

6. _____ oncle
7. _____ oncles
8. _____ mari
9. _____ femme
10. _____ cousins

11. _____ grand-mère
12. _____ nièces
13. _____ neveu
14. _____ famille
15. _____ filles

2. Choisis un mot

Choisis le mot correct pour faire des paires. Regarde les pages 75 et 76 pour trouver des idées.

Choose a suitable word to form a matching pair. You can look back at pages 75 and 76 to get some ideas.

1. le père et la _____ mère _____
2. la sœur et le _____ frère _____
3. le fils et la _____
4. la nièce et le _____
5. l'oncle et la _____
6. le cousin et la _____
7. la grand-mère et le _____
8. l'enfant et les _____

3. Le pluriel

Ecris les mots suivants au pluriel.
Write the following words in the plural.

1. le frère _____ les frères _____
2. la sœur _____
3. l'oncle _____
4. un oncle _____ des oncles _____
5. une tante _____
6. le cousin _____
7. une cousine _____
8. l'homme _____
9. un homme _____
10. une nièce _____
11. le père _____
12. le fils _____

4. La famille Leroy

Complète la description de la famille Leroy.
Choose suitable words to describe the family.

Monsieur Leroy est _____ le mari _____ de Madame Leroy.

Madame Leroy est _____ de Monsieur Leroy.

Ils ont deux enfants, un fils (Roger) et _____ (Carole).

Roger est le frère de Carole. Carole est _____ de Roger.

La famille Lefèvre : le portrait d'une famille française

1.46

Ecoute le portrait de la famille Lefèvre.

Il y a quatre personnes dans la famille Lefèvre : le père, la mère, le fils et la fille. Ils habitent dans un appartement à Toulouse dans le Sud de la France.

1.

Voilà les parents, Luc et Chantal.
Luc est le mari de Chantal.
Chantal est la femme de Luc.
Luc est vétérinaire et Chantal est secrétaire.

2.

Luc est le père de Marc.
Marc est le fils de Luc.
Marc a 10 ans. Il aime le sport et les voitures.
Il n'aime pas l'école.

3.

Chantal est la mère de Stéphanie.
Stéphanie est la fille de Chantal.
Stéphanie a douze ans. Elle aime la
danse et les animaux. Elle n'aime pas le sport.

4.

Marc est le frère de Stéphanie.
Stéphanie est la sœur de Marc.

5.

Voilà la famille : les parents et les enfants ...
le père, la mère, le fils et la fille.

6.

Et voilà les grands-parents, Armand et Jeanne.
Ils habitent dans un appartement à Monaco.
Ils sont sympas.

Stéphanie is Chantal's daughter. This English sentence shows the use of the apostrophe 's' to denote possession. There is no apostrophe 's' in French. Instead you use the word de – which means 'of': **Stéphanie est la fille de Chantal**.

Find other examples of the use of de in the sentences above. Read them aloud to the class.

Travail oral

Lis le portrait de la famille Lefèvre. Réponds aux questions.

Read the portrait of the Lefèvre family. Answer aloud these questions.

1.	Comment s'appelle le père de Marc ?	6.	Où habite la famille Lefèvre ?
2.	Qui est Stéphanie ?	7.	Qui aime les animaux ?
3.	Comment s'appelle la femme de Luc ?	8.	Qui n'aime pas l'école ?
4.	Quel âge a Marc ?	9.	Comment s'appellent les grands-parents ?
5.	Quel âge a Stéphanie ?	10.	Où habitent les grands-parents ?

On présente quatre familles

1. « Bonjour. Je m'appelle **Xavier**. J'ai treize ans. J'habite à Cherbourg en Normandie. Nous sommes cinq dans ma famille. J'ai un frère, Marc. Il a dix-neuf ans et il est sportif. J'ai aussi une sœur, Sylvie. Elle a quinze ans. Elle n'aime pas le sport. Elle préfère le cinéma et la danse. Mon père est architecte. Ma mère est professeur. Nous avons un animal domestique, un chien. Il n'aime pas les chats ! »

2. « Je me présente. Je m'appelle **Roxanne**. J'ai quatorze ans. J'habite à Dunkerque dans le Nord de la France. Il y a quatre personnes dans ma famille. J'ai une petite sœur qui s'appelle Sophie. Elle a huit ans. Elle est sympa. Mon père est facteur. Il aime le ski en hiver. Ma mère est secrétaire. Elle préfère les promenades à la campagne en été. A la maison, nous avons un chat qui s'appelle Minou. »

3. « Salut ! Je m'appelle **Olivier**. J'ai seize ans et j'habite à Lyon avec ma famille. Nous habitons dans un appartement dans le centre-ville. Dans ma famille, il y a cinq personnes …… »

4. «Salut ! Je m'appelle **Marianne**. J'ai dix-huit ans. J'habite à Poitiers. Nous sommes trois dans ma famille : ma mère, mon petit frère et moi … »

Ecoute les descriptions des quatre familles. Complète le tableau.

1.47   Listen to the descriptions in full of the families on CD. Fill in the missing details in the grid.

Name	1. Xavier	2. Roxanne	3. Olivier	4. Marianne
Age	13	14		
Town/City	Cherbourg	Dunkirk	Lyon	Poitiers
Number of people in family				3
Name and age of brother(s)	Marc, 19	X	Richard, 12	
Name and age of sister(s)				X
Father's job	Architect		Vet	X
Mother's job		Secretary		
Family pet(s)	dog		rabbit	

Grammaire : de + l'article défini

1. The preposition **de** is very common in French. It means 'of'. You saw it used in many sentences on page 78. Look back at them.

   Voilà le père de Marc.
   De becomes **d'** before a vowel (a,e,i,o,u).
   e.g. le père d'André

le père de Marc

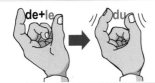

2. When **de** comes before the definite article **le**, **de + le** contract to **du**.
   Voici le vélo du garçon.

le vélo du garçon

3. No change takes place when **de** comes before **la**.
   Voilà la porte de la maison.

la porte de la maison

4. Before nouns starting with a **vowel (a,e,i,o,u)** or before a **silent 'h'**, you write **de l'**.
   Voici le nid de l'oiseau.
   Voilà la moto de l'homme.

le nid de l'oiseau

la moto de l'homme

5. Before all plural nouns, **de + les** contract to **des**.
   Voilà les parents des enfants.

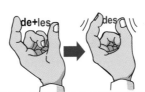
les parents des enfants

de + le	→	du
de + la	=	de la
de + l'	=	de l'
de + les	→	des

Complète les phrases :
écris de, du, de la, de l' ou des

Put de, du, de la, de l' or des in the blanks, following the rules and the examples given above.

1. Voici le père ___**de**___ Carole.
2. Tu aimes la voiture ___**du**___ professeur ?
3. Le nid _____ oiseau est dans l'arbre.
4. La règle _____ élève est dans le cartable.
5. Comment s'appelle la tante _____ enfants ?
6. Pierre est le frère _____ Chantal.
7. J'aime la mère _____ Roger.
8. Où est la maison _____ parents ?
9. Voici la moto _____ homme.
10. Il n'aime pas le chien _____ femme.
11. Voilà l'oncle _____ garçon.
12. Voilà le grand-père _____ fille.

Les bonnes paires

Ecoute le CD et trouve les bonnes paires.
Listen to the CD and find the matching part of each sentence.

1.48

1. C'est le dictionnaire **de**
2. Où est l'ordinateur **du**
3. C'est le vélo **de la**
4. Voilà la trousse **de l'**
5. C'est le nid **des**
6. Voici le portable **de**
7. Ce sont les livres **des**
8. Ce sont les lapins **du**

- femme de Paul.
- oiseaux.
- Marie-Christine.
- professeur.
- élève.
- parents.
- fermier.
- Jacques.

La possession : à qui est... ?

Ecoute le CD et complète les phrases.
Utilise de, du, de la, de l' ou des.

1.49

1. C'est le cahier _____ *de* _____ Philippe.
2. Voilà la voiture _____ famille.
3. Voici le vélo _____ Monsieur Dupont.
4. Attention ! C'est le livre _____ professeur.
5. Je suis à l'école. J'utilise la règle _____ élève, Yves.
6. Nous sommes à la campagne. Voilà les animaux _____ fermier.
7. Qui est-ce ? C'est le père _____ enfants, Sylvie et Antoine.
8. Nous sommes en Bretagne. Rennes est la capitale _____ région.

Travail oral : commente chaque illustration

Utilise de, du, de la, de l' ou des.
Speak about each illustration with a sentence which uses the appropriate word – de, du, de la, de l' or des.

Exemple :

la fenêtre | la maison → « **C'est la fenêtre de la maison.** »

1.
le chien | la fille
« C'est ... »

2.
le chat | le garçon
« C'est ...»

3.
la vache | le fermier
« C'est ... »

4.
les portables | les élèves
« Ce sont ... »

5.
la moto | Madame Dupré
« C'est ... »

6.
les lapins | Pierre
« Ce sont ... »

The present tense of –ER verbs

You have already learned the present tense of être and avoir. These are known as irregular verbs as they follow no set pattern.

However, there is a group of verbs in French which end in –ER in the infinitive. If you study what happens to one of these verbs in the present tense, you will know what happens to all of them.

As there are over 4,000 verbs in this group (known as the '-ER group of verbs'), it is very important to study one verb as a model and then you will be able to handle thousands of verbs!

Let's take donner (to give) as our model.

DONNER

Step 1	Take the infinitive which ends in –ER (the infinitive is the verb as you find it in the dictionary), e.g. donner.
Step 2	Take away the infinitive ending –ER to leave you with the stem, donn–.
Step 3	On to the stem add these endings: –e, –es, –e, –ons, –ez, –ent. Learn these endings off by heart.

So here is how the present tense of donner looks:

ATTENTION !
There are two forms of the present tense in English, but there is **only one present tense in French**. Therefore, Je donne can mean 'I give' or 'I am giving'.

Je	donne	➡ I give/I am giving
Tu	donnes	➡ You give/You are giving
Il / Elle	donne	➡ He (She) gives/He (She) is giving
Nous	donnons	➡ We give/We are giving
Vous	donnez	➡ You give/You are giving
Ils / Elles	donnent	➡ They give/They are giving

« Je donne un cadeau. »

« Nous donnons des cadeaux. »

Les verbes en –ER : d'autres verbes
Other –ER verbs

On the previous page, you studied how to form the present tense of the verb donner as the model for how to deal with thousands of verbs in the –ER group of verbs.

Here are some –ER verbs which you will find useful to know.

aider	to help	**monter**	to climb
aimer	to like / to love	**parler**	to speak
arriver	to arrive	**passer**	to spend time (e.g. a week)
chanter	to sing	**penser**	to think
chercher	to look for	**porter**	to wear / to carry
danser	to dance	**regarder**	to look at
demander	to ask	**rester**	to stay
écouter	to listen to	**tomber**	to fall
jouer	to play	**tourner**	to turn
manger	to eat	**travailler**	to work

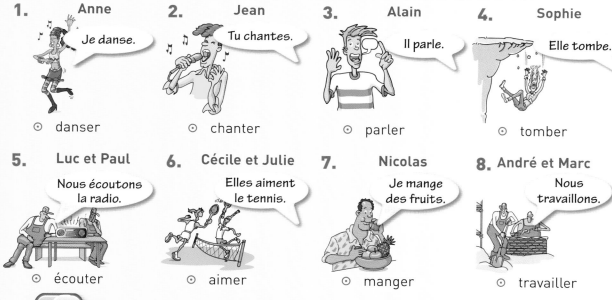

1. Anne — Je danse. ⊙ danser
2. Jean — Tu chantes. ⊙ chanter
3. Alain — Il parle. ⊙ parler
4. Sophie — Elle tombe. ⊙ tomber
5. Luc et Paul — Nous écoutons la radio. ⊙ écouter
6. Cécile et Julie — Elles aiment le tennis. ⊙ aimer
7. Nicolas — Je mange des fruits. ⊙ manger
8. André et Marc — Nous travaillons. ⊙ travailler

Travail oral à deux : questions et réponses

Regarde les dessins. Un(e) élève pose la question. Un(e) autre élève donne la réponse.
Exemple : Question : – Qui danse ?   Réponse : – Anne danse.

1. – Qui danse ?
2. – Qui chante ?
3. – Qui parle ?
4. – Qui tombe ?

5. – Qui écoute la radio ?
6. – Qui aime le tennis ?
7. – Qui mange des fruits ?
8. – Qui travaille ?

Devoirs

	Chanter		Jouer
Je	_____	Je	_____
Tu	_____	Tu	_____
Il	_____	Il	_____
Elle	_____	Elle	_____
Nous	_____	Nous	_____
Vous	_____	Vous	_____
Ils	_____	Ils	_____
Elles	_____	Elles	_____

1. Deux verbes : chanter et jouer
Ecris les deux verbes au présent.
Write out the present tense of these two –ER verbs.

N'OUBLIE PAS !
Donner
Je **donne**
Tu **donnes**
Il **donne**
Elle …

2. Des verbes : le présent
Ecris les verbes entre parenthèses au présent.
Write the verbs in brackets in the present tense. They are all –ER verbs.

1. Je _____regarde_____ (regarder) la télévision.
2. Elle _____ (aimer) les chiens.
3. Ils _____ (visiter) Paris.
4. Nous _____ (écouter) la radio.
5. Tu _____ (aider) le professeur.
6. Le garçon _____ (manger) des fruits.
7. Les filles _____ (arriver) à l'école.
8. Est-ce que vous _____ (jouer) dans la rue ?
9. Nous sommes à Paris. Nous _____ (chercher) le musée du Louvre.
10. Elles sont à la campagne. Elles _____ (travailler) dans une ferme.

3. Des verbes: la forme négative
Ecris les verbes à la forme négative.
Write the following verbs in the negative form. Read the notes in the box below first.

1. Je danse → Je ne danse pas
2. Nous tombons → _____
3. Il porte → _____
4. Vous parlez → _____
5. Ils aident → _____
6. Je suis → _____
7. Elle a → _____
8. Tu arrives → _____
9. Il est → _____
10. Nous avons → _____

La forme négative

1. As you saw with the verbs être and avoir, **to make a verb negative:**
Put ne before the verb, and pas after it.
e.g. Je suis → Je ne suis pas.
Elle donne → Elle ne donne pas.

2. Ne becomes n' **when the verb starts with a vowel (a,e,i,o,u).**
e.g. Elle est → Elle n'est pas.
Il a → Il n'a pas.
Elle arrive → Elle n'arrive pas.

La famille Delon

Complète les phrases. Utilise les verbes être et avoir, et le vocabulaire de la famille (pages 75 et 76).

1. Voici __la__ famille Delon : le _père_, la _____ et _____ enfants. Ils habitent à Biarritz dans le Sud-ouest de la France.

2. Monsieur et Madame Delon _____ les parents. Ils travaillent dans le centre-ville. Monsieur Delon _____ professeur. Madame Delon est infirmière.

3. _____ père s'appelle Georges. _____ mère s'appelle Marie-Claire. Le week-end, Georges regarde la télévision et Marie-Claire écoute la radio.

4. Voici le _____ de Monsieur et de Madame _____. Il s'appelle Patrick. Il _____ douze ans. Le soir, il regarde des dessins animés à la télé. Il adore les dessins animés !

5. Voici la _____ de Monsieur et de Madame Delon. _____ s'appelle Louise. Elle a quatorze _____. Le soir, elle danse et elle chante.

6. Et voici le _____ et le _____ ! Ils _____ paresseux !

La famille Delon

1.50

Ecoute le portrait de la famille. Vérifie tes réponses !

Listen to the portrait of the Delon family on the CD. Check the answers that you have written to fill in the blanks.

Travail oral en classe : Les Simpsons !

1. Regarde l'arbre généalogique, page 75.
2. Dessine l'arbre généalogique d'une famille célèbre – Les Simpsons !
3. Présente la famille à la classe.
   - Le père s'appelle ...
   - La mère s'appelle ... etc.

La famille Delon visite Paris

Lis la description de la visite de la famille Delon à Paris.

1. **La famille Delon est à Paris.**
Ils sont en vacances.
Ils restent dans un hôtel.
Ils ont un plan de la ville.

Les Champs-Elysées et l'Arc de Triomphe

2. Les Delon marchent sur **les Champs-Elysées.** Ils admirent la grande avenue et les magasins chics. Les enfants, Patrick et Louise, mangent une glace près de **l'Arc de Triomphe**.

Le musée du Louvre

3. La famille visite un musée : **le musée du Louvre.** Georges, le père, adore l'architecture du Louvre. Marie-Claire, la mère, n'aime pas beaucoup **la Pyramide** en verre au centre du Louvre. Elle est trop moderne !

La place de la Concorde

4. Marie-Claire cherche **la place de la Concorde** sur le plan. Elle aime les grandes places. Patrick, le fils, regarde les voitures. Les Delon passent un moment dans un café près de la place. Ils ont faim. Alors, ils mangent un sandwich. C'est bon !

5. La famille visite **la cathédrale Notre-Dame de Paris**. Il y a beaucoup de touristes devant la cathédrale. Louise parle avec un touriste irlandais. Ils écoutent l'orgue dans la cathédrale. Patrick préfère le rock !

La cathédrale Notre-Dame de Paris

La famille Delon visite Paris

6. Dans l'après-midi, la famille visite **la Tour Eiffel**. Les enfants sont très excités ! Ils montent dans la Tour Eiffel. La vue est magnifique. Ils regardent les monuments, les bâtiments et les grandes rues de Paris. Ils regardent aussi la Seine.

La Tour Eiffel

L'Arche de la Défense

7. Enfin, ils visitent **l'Arche de la Défense**. C'est une version moderne de l'Arc de Triomphe. Marie-Claire n'aime pas l'architecture moderne. Alors, elle déteste l'Arche de la Défense. Elle préfère l'Arc de Triomphe.

La famille Delon visite Paris

1.51 Ecoute la description de la visite à Paris.

Compréhension
Dans un cahier, écris des réponses aux questions suivantes.

You have read the text. You have listened to a description of the visit by the Delon family to Paris on the CD. In a copybook, write answers to the following questions.

1. Where is the family staying in Paris?
2. What do they admire while walking along the Champs-Elysées?
3. What do the children eat near the Arc de Triomphe?
4. Why does the mother not like the glass Pyramid in the Louvre?
5. At the Place de la Concorde, what does Patrick do?
6. Why do they decide to eat a sandwich?
7. What does Louise do when they are at the Notre Dame Cathedral?
8. What does the family listen to in the Cathedral?
9. Write a list of what they see down below when they climb the Eiffel Tower.
10. What is special about la Défense?

Trouve les verbes !

How many –ER verbs can you find in the account of the family visit to Paris?

Make a list of them in your copybook. They are written in the present tense in the text. Change them to the infinitive (–ER ending) for your list.

Les nombres : de 20 à 69
Numbers 20-69

You studied the numbers from 1 to 20 on page 57.

Revise them now as you need to know the numbers from 1 to 9 to form numbers in the range 20 to 69.

20	vingt
21	vingt et un
22	vingt-deux
23	vingt-trois
24	vingt-quatre
25	vingt-cinq
26	vingt-six
27	vingt-sept
28	vingt-huit
29	vingt-neuf
30	trente
40	quarante
50	cinquante
60	soixante

You already know the numbers 1–9.

You simply add these to **vingt** to form the numbers 21–29. You can see this in the column of numbers on the left.

⊙ Notice **et** in 21.
⊙ Notice **the hyphen** in the other numbers.

You can form any number in the range 31–39, 41–49, 51–59, 61–69 by copying what happens in the 20–29 range.

Thus 31 is **trente et un**
32 is **trente-deux**
33 is **trente-trois** ... and so on.

Deal similarly with any number in the 40, 50, 60 group.

e.g. 44 is **quarante-quatre**
56 is **cinquante-six**
69 is **soixante-neuf**

 Travail oral : les nombres

A tour de rôle, chaque élève dit les nombres.

Taking it in turn, students call out the numbers in the following ranges – without hesitating!

Elève 1 :	de 1 à 10
Elève 2 :	de 11 à 20
Elève 3 :	de 21 à 30
Elève 4 :	de 31 à 40
Elève 5 :	de 41 à 50
Elève 6 :	de 51 à 60
Elève 7 :	de 61 à 69

Moi, je compte de 1 à 69 !

Tu es le champion de la classe !

Exercices

1. Ecris les nombres en chiffres.
Write the numbers in figures.

1. trente = 30
2. quarante-deux = _____
3. soixante et un = _____
4. cinquante-huit = _____
5. vingt = _____
6. vingt et un = _____
7. trente-sept = _____
8. trente-neuf = _____

2. Ecris les nombres en lettres.
Write the numbers in word form.

1. 33 = trente-trois
2. 56 = _____
3. 20 = _____
4. 41 = _____
5. 16 = _____
6. 64 = _____
7. 23 = _____
8. 38 = _____

1.52

3. Des nombres entre 20 et 39
Ecoute le CD. Ecris les nombres.
You will hear numbers between 20 and 39. Write them down in figures.

1. 22	2.	3.	4. 30	5.	6.	7.	8.

1.53

4. Des nombres entre 40 et 69
Ecoute le CD. Ecris les nombres.
You will hear numbers between 40 and 69. Write them down in figures.

1. 43	2.	3.	4. 50	5.	6.	7.	8.

5. Un fermier compte les animaux
Lis l'histoire d'un fermier.

Monsieur Dumas a 50 ans. Il habite dans une petite ferme en Auvergne en France. Il travaille dans les champs et dans la basse-cour de la ferme. Il aime les animaux. Aujourd'hui, il compte les animaux.

« Moi, je suis fermier. J'aime bien les animaux. En effet, j'ai beaucoup d'animaux à la ferme. Aujourd'hui, je compte les animaux.

Dans les champs, j'ai un taureau et 15 vaches.

J'adore les chevaux. J'ai 9 chevaux.

J'ai 12 chèvres et 43 moutons.

Dans la basse-cour, il y a 4 coqs et 30 poules. Il n'y a pas de canards.

Dans un clapier, il y a 16 lapins.

Je n'ai pas de cochons. Je déteste les cochons ! »

6. Travail oral : lis l'histoire du fermier. Réponds aux questions.

1. Quel âge a Monsieur Dumas ?
2. Combien de vaches a-t-il ?
3. Combien de taureaux a-t-il ?
4. Combien de chevaux a-t-il ?
5. Combien de chèvres a-t-il ?
6. Combien de coqs y a-t-il dans la basse-cour ?
7. Combien de poules y a-t-il ?
8. Combien de canards y a-t-il ?
9. Combien de lapins y a-t-il dans le clapier ?
10. Combien de cochons y a-t-il à la ferme ?

Identifie les familles

Regarde les photos. Lis les descriptions des quatre familles.

Quelle est la description qui correspond à chaque photo ?

Look at the photos of four families. Read the descriptions underneath. Which photo goes with which family description? Having studied the details, write the family name beside the photo of your choice.

1.

La famille

Durand

2.

La famille

_____

3.

La famille

_____

4.

La famille

_____

A. Voici la famille DUPRÉ. Les parents ont deux enfants, un fils et une fille. Le fils s'appelle Thomas. Il a dix ans. La sœur de Thomas s'appelle Sophie. Elle a huit ans.

B. Voici la famille LEROY. Le mari s'appelle Charles. La femme s'appelle Béatrice. Le fils s'appelle Florian. Il a huit ans. Florian n'a pas de sœur.

C. Voici la famille DURAND. Monsieur et Madame Durand sont les parents. Ils ont deux enfants, Simon et Marie. Simon a dix-huit ans. Marie a seize ans.

D. Voici la famille LEBRUN. Le père s'appelle Vincent. La mère s'appelle Isabelle. Les parents ont deux filles, Anne et Françoise. Anne a quatorze ans et Françoise a douze ans. Elles n'ont pas de frère.

 ## Quatre familles

Ecoute les descriptions des familles.

1.54

 ## La famille Legros

Regarde la photo.
Ecris le portrait de la famille.
Look at the photo of the Legros family.
Write a portrait of the family.
Here are some questions to guide you.

Les parents : Hervé, 48 ans
Marie, 45 ans
Les enfants : Anne, 19 ans
Brigitte, 16 ans
Luc, 15 ans

1. Comment s'appelle le père ?
2. Quel âge a-t-il ?
3. Comment s'appelle la mère ?
4. Quel âge a-t-elle ?
5. Combien de filles ont les parents ?
6. Comment s'appellent-elles ?
7. Quel âge ont-elles ?
8. Combien de fils ont les parents ?
9. Comment s'appelle-t-il ?
10. Quel âge a-t-il ?

Mots croisés

Tu aimes les mots croisés ?

Do you like crosswords?

Here is one that will test your knowledge of verbs
from the –ER group of verbs. Revise pages 82 and 83.

1. Identify the verb in the infinitive (–ER ending).
2. Look at the pronoun (Je, Tu ...).
3. Add the correct ending (–e, –es, –e, ...) to the stem
   (infinitive minus –ER).

Utilise les verbes ...

chant**er**
dans**er**
écout**er**
mang**er**
parl**er**
port**er**
regard**er**
tomb**er**

Nous _____

Tu _____

Je _____

Elle _____

Elles _____

Ils _____

Tu _____

Nous _____ une table.

Quelle main avec quel ballon ?

Which hand goes with which balloon? Draw the strings to link them!

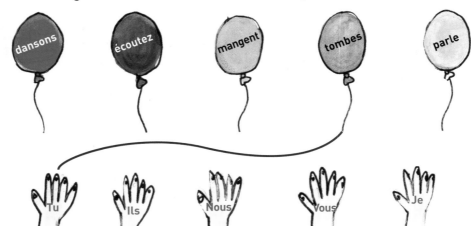

1. Verbe régulier en –ER

Ecris le verbe tomber au présent.
Write the present tense of the verb tomber.

Il tombe !

Tomber	
Je	tombe
Tu	
Il	
Elle	
Nous	
Vous	
Ils	
Elles	

2. Les terminaisons

Complète les verbes avec la bonne terminaison.
Put the correct ending on each –ER verb.

1. Tu aim**es**___ le chocolat ?
2. Ils jou _____.
3. Vous parl _____ français ?
4. Nous regard _____ la télévision.
5. J'écout _____ la radio.
6. Elle aid _____ le dentiste.
7. Elles arriv _____ à Paris.
8. Nous chant _____ bien.
9. Vous aim _____ le tennis ?
10. Je ne dans _____ pas.

3. Les verbes en –ER

Ecris les verbes entre parenthèses à la forme correcte.

1. Les élèves _____visitent_____ (visiter) le Louvre.

2. Nous _____ (aimer) Paris.

3. Je _____ (manger) dans un restaurant.

4. Xavier _____ (regarder) le livre de Raymond.

5. Les grands-parent d'Aline _____ (habiter) à Rouen.

6. Vous _____ (parler) français et anglais.

7. Jean _____ (aider) les parents dans le jardin.

8. Elles _____ (travailler) dans le restaurant.

1. Joyeux anniversaire !

Ecoute le CD. Ecris l'âge de chaque personne sur le gâteau d'anniversaire.
Listen to the CD. Fill in each person's age on their birthday cake.

1.55

1. 30 Robert
2. Béatrice
3. 26 Guy
4. Carole
5. Nicolas

6. 60 Brigitte
7. Edouard
8. Michèle
9. Paul
10. Marie

2. Les relations de famille : la famille Lefèvre

Ecoute le CD. Coche (✓) la bonne colonne pour indiquer les relations de famille.
Listen to the CD. Tick the correct column to indicate the relationships of Luc and Chantal to other members of the Lefèvre family.

1.56

1. Dans la famille Lefèvre, qui est Luc ?

Exemple : 1. Luc est **le mari** de Chantal.

		husband	father	son	brother	uncle	nephew
Luc is…	1.	✓					
	2.						
	3.						
	4.						

2. Dans la famille Lefèvre, qui est Chantal ?

Exemple : 1. Chantal est **la femme** de Luc.

		wife	mother	daughter	sister	aunt	niece
Chantal is…	1.	✓					
	2.						
	3.						
	4.						

3. A qui est …?

Ecoute le CD. Coche (✓) le tableau pour indiquer à qui est l'objet ou l'animal mentionné dans la question.
Listen to the CD. Tick the grid to indicate who owns the object or the animal.

1.57

Exemple : 1. – A qui est le vélo ?
– C'est **le vélo de Stéphanie**.

1
2.
3.

4.
5.
6.

	Marc	Stéphanie	Luc	Chantal	Xavier	Marine
1.		✓				
2.						
3.						
4.						
5.						
6.						

Test

C'est le moment de vérifier tes connaissances du Chapitre 5 !

Bonne chance !

Test 5

1. Les nombres

Ecris les nombres en lettres.

e.g. cinquante-six = 56

1. Vingt-cinq = _____
2. Quarante-neuf = _____
3. Seize = _____
4. Treize = _____

`4`

2. Les verbes réguliers en –ER : les terminaisons

Complète les verbes avec la bonne terminaison.

Complete the verbs by adding the correct ending.

e.g. Je mang _____ des fruits. →
Je mange des fruits.

1. Nous écout_____ la radio.
2. Tu aim_____ la sœur de Luc ?
3. Ils regard_____ la télévision.
4. Vous jou_____ dans la rue.

`4`

3. Les verbes réguliers en –ER

Ecris les verbes à la forme correcte.

e.g. Ils _____ (habiter) à Paris. →
Ils habit**ent** à Paris.

1. Ils _____ (tomber) devant la maison.
2. Nous _____ (aimer) le musée du Louvre.
3. Patrick _____ (regarder) le dictionnaire de Marine.
4. Est-ce que vous _____ (parler) français ?

`4`

4. De + l'article défini

Complète les phrases. Utilise du, de la, de l' ou des.

Complete the sentences by putting du, de la, de l' or des in the blanks.

e.g. Voilà le chien _____ garçon. → Voilà le chien du garçon.

1. Voilà le livre _____ fille.
2. Voilà le portable _____ élève.
3. Voilà les vélos _____ enfants.
4. Voilà le dictionnaire _____ professeur.

`4`

5. Les relations de famille : la famille Lefèvre

Complète les phrases. Ecris le bon mot dans chaque blanc.

Write the correct word in each blank from the vocabulary of family members.

e.g. Luc est le père de Marc. Marc est le fils de Luc.

1. Luc est le mari de Chantal. Chantal est la _____ de Luc.
2. Marc est le frère de Stéphanie. Stéphanie est la _____ de Marc.
3. Hélène est la tante de Marc. Marc est le _____ d'Hélène.
4. Jean est l'oncle de Stéphanie. Stéphanie est la _____ de Jean.

`4`

Le test est noté sur vingt.

Total `20`

Chapitre 5 : résumé

 1. Dictionnaire

1. **L'arbre généalogique : les relations de famille**

la famille	le mari	le demi-frère	la tante
les parents	la femme	la demi-sœur	le neveu
le père	le fils	les grands-parents	la nièce
la mère	la fille	le grand-père	le cousin
le beau-père	le frère	la grand-mère	la cousine
la belle-mère	la sœur	l'oncle	les cousins

2. **Des verbes réguliers en –ER**

adorer	chercher	marcher	regarder
aider	compter	monter	rester
admirer	danser	parler	tomber
aimer	écouter	passer	tourner
arriver	jouer	penser	travailler
chanter	manger	porter	visiter

Nous dansons !

3. **Les nombres : de 20 à 69**

Moi, je compte !

vingt, vingt et un, vingt-deux ...
trente, quarante, cinquante, soixante

 2. Grammaire

1. **L'article défini :** le, la, les
   e.g. le père, la mère, les enfants

2. **La préposition** de / d'
   e.g. Voici le crayon de Pierre.
   Voilà le portable d'Anne.

3. **De + l'article défini**

de + le	→ du	e.g. le livre du garçon
de + la	= de la	e.g. le portable de la fille
de + l'	= de l'	e.g. le crayon de l'élève
de + les	→ des	e.g. les cahiers des élèves

4. **Verbes réguliers en –ER**

DONNER	
Je	donne
Tu	donnes
Il	donne
Elle	donne
Nous	donnons
Vous	donnez
Ils	donnent
Elles	donnent

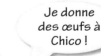

Je donne des œufs à Chico !

In this chapter, you will ...

- hear people talk about their families
- talk about your family
- read about Monaco and the family of a princess
- learn some French proverbs
- read diary entries for days of the week
- count up to 100

In grammar, you will ...

- learn the possessive adjective **mon, ma, mes**
- study the full list of possessive adjectives
- study the verb **faire** (to make/to do)

Ma famille

La famille est un sujet de conversation important.
Dans la conversation, on parle de ses parents.
On parle aussi de ses frères et sœurs.

Quand on est en vacances en France,
on parle de sa famille.

Quand on fait un échange avec un élève
français, il est nécessaire de savoir
parler de sa famille.

Je présente ma famille

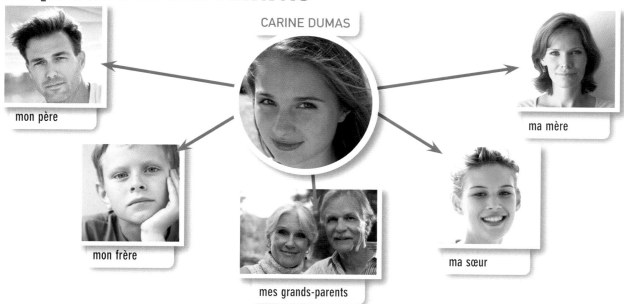

CARINE DUMAS

mon père

ma mère

mon frère

mes grands-parents

ma sœur

« Je présente ma famille »

Ecoute le CD. Carine parle de sa famille.

2.02

« Salut ! Moi, c'est Carine Dumas. J'ai 13 ans. J'habite à Toulon dans le Sud de la France. **Mon père**, Julien, a 46 ans. Il est pilote. Il aime le cinéma. **Ma mère**, Delphine, a 45 ans. Elle est secrétaire dans un hôpital. Elle adore la lecture. **Mes parents** sont divorcés. J'habite dans le centre-ville avec ma mère, ma sœur et mon frère. Mon père habite dans un appartement près de chez nous.

Mon frère, Eric, a neuf ans. Il aime regarder le sport à la télé. Il est paresseux ! **Ma sœur**, Chantal, a 16 ans. Elle n'aime pas le sport. Elle préfère la danse. Elle aime aussi discuter avec ses amis sur Facebook.

Mes grands-parents habitent à Cannes. Ils sont sympas. »

Travail oral

A tour de rôle, chaque élève répond à ces questions.

1. Quel âge a Carine ?
2. Où habite-t-elle ?
3. Quel âge a Julien ?
4. Quelle est la profession de Julien ?
5. Quel âge a Delphine ?
6. Quel est le passe-temps de Delphine ?
7. Qui est paresseux ?
8. Quel âge a Chantal ?
9. Qu'est-ce qu'elle n'aime pas ?
10. Où habitent les grands-parents ?

« Je presente ma famille »

Utilise l'album de photo de Carine comme modèle. Présente ta famille à la classe.

Use Carine's photo album as a model. Introduce your family to the class!

Ma famille

Carine parle :
1. Voici mon père.
2. Voici mon frère.
3. Voici ma mère.
4. Voici ma sœur.
5. Voici mes grands-parents.

L'adjectif possessif
The possessive adjective

1. When talking about her father, Carine says:
   – **Voici** mon **père.** 'Here is my father.'

2. When talking about her brother, Carine says:
   – **Voici** mon **frère.** 'Here is my brother.'

3. When talking about her mother, Carine says:
   – **Voici** ma **mère.** 'Here is my mother.'

4. When talking about her sister, Carine says:
   – **Voici** ma **sœur.** 'Here is my sister.'

5. When talking about her grandparents, Carine says:
   – **Voici** mes **grands-parents.** 'Here are my grandparents.'

1. mon père

2. mon frère

3. ma mère

4. ma sœur

5. mes grands-parents

The word 'my' is known as a 'possessive adjective'.

As you have noticed above, there are three words in French for 'my' – mon, ma and mes.

The word you use depends on the noun that follows it:
– Is it a masculine or feminine noun?
– Is it a singular or plural noun?

Look at Eric introducing his relations.

Voici **mon** oncle.

'Oncle' is masculine and singular, so Eric says:
– Voici mon oncle.

Voici **ma** tante.

'Tante' is feminine and singular, so Eric says:
– Voici ma tante.

Voici **mes** cousins.

'Cousins' is masculine and plural, so Eric says:
– Voici mes cousins.

⊙ When the noun is plural you always say mes – no matter what the gender of the noun is.
⊙ Ma is not used before a vowel – even if the noun is feminine. For example, you say 'mon école', my school. Ecole is feminine, but it is easier on the ear to say 'mon école'.

Attention !

Be careful! The words **mon** and **ma** agree with the gender of the noun that follows, and not with the gender of the owner.

Look at the following two examples:

Ma maison

1. The word **maison** is feminine. So Eric says 'Ma **maison**'. It does not matter that Eric is male. It is the gender of **maison** that is important. A girl would also say 'Ma **maison**'.

2. The word **vélo** (bicycle) is masculine. So Carine says 'Mon **vélo**'. It is the gender of **vélo** that's important and not the gender of the owner. So a boy would also say 'Mon **vélo**'.

Mon vélo

L'adjectif possessif

2.03

Ecoute le CD. Complète les phrases avec mon, ma ou mes dans les blancs.
Listen to the CD. Write the correct word for 'my' in each sentence.

1. Voici _____mon_____ père et _____ma_____ mère.
2. J'ai un oncle. _____ oncle est généreux.
3. J'ai une tante. _____ tante habite à Rouen.
4. J'ai un chat. _____ chat aime le lait.
5. J'aime bien Luc. Luc est _____ cousin.
6. Je n'aime pas Carole. Carole est _____ cousine.
7. Luc et Carole sont _____ cousins.
8. Je suis l'oncle de Marc. Marc est _____ neveu.
9. Je suis la tante de Laura. Laura est _____ nièce.
10. Je m'appelle Jean. _____ oncle s'appelle Jean-François.

Chantal, la sœur de Carine, parle de sa famille

Complète les phrases avec un adjectif possessif (mon, ma ou mes).

« J'aime beaucoup _____ père. Il s'appelle Julien et il a 46 ans. J'aime aussi _____ mère, Delphine. Elle a 45 ans et elle est sympa. _____ parents aiment la campagne, surtout en été.

_____ frère s'appelle Eric et _____ sœur s'appelle Carine. Carine a 13 ans. Elle n'aime pas la campagne. Elle préfère le cinéma. Comme moi, elle est souvent sur Facebook.

J'ai aussi deux grands-parents. J'aime beaucoup _____ grands-parents.»

Chantal

2.04

Ecoute Chantal. Vérifie tes réponses !

Six personnes et six photos

2.05

Ecoute les six personnes et regarde les photos.
Listen to these six people and look at the photos.

1.

Salut ! Je m'appelle André. Voici une photo de ma maison.

2.

Salut ! Je m'appelle Claire. Voici une photo de mon appartement.

3.

Bonjour ! Je m'appelle Paul. Voici une photo de ma voiture.

4.

Salut ! Je m'appelle Sylvie. Voici une photo de mon école.

5.

Salut ! Je m'appelle David. J'habite à la campagne. Voici une photo de mes vaches.

6.

Bonjour ! Je m'appelle Fatima. J'ai deux filles. Voici une photo de mes enfants.

Let's examine how these six people say 'my'. Is it mon, ma or mes ?

1. **Maison** is feminine, singular. So André says 'ma maison'.
2. **Appartement** is singular and starts with a vowel. So Claire says 'mon appartement'.
3. **Voiture** is feminine, singular. So Paul says 'ma voiture'.
4. **Ecole** is singular and starts with a vowel. So Sylvie says 'mon école'.
5. **Vaches** is plural. So David says 'mes vaches'.
6. **Enfants** is plural. So Fatima says 'mes enfants'.

Deux exercices

Complète les blancs avec un adjectif possessif (mon, ma ou mes).

In both exercises, write the word for 'my' in each blank.

1. Ma famille

1. Mon père	6. _____ oncle	11. _____ neveu
2. _____ mère	7. _____ nièces	12. _____ cousine
3. _____ frères	8. _____ grand-mère	13. _____ enfants
4. _____ sœurs	9. _____ fille	14. _____ sœur
5. _____ tante	10. _____ mari	15. _____ beau-père

2. Mes possessions

1. Ma maison	6. _____ livres	11. _____ clé USB
2. _____ vélo	7. _____ chaise	12. _____ chevaux
3. _____ magasin	8. _____ école	13. _____ appartement
4. _____ voiture	9. _____ bateaux	14. _____ animaux
5. _____ arbre	10. _____ cartable	15. _____ cheval

Les adjectifs possessifs

The full list of possessive adjectives

You have just studied the possessive adjective 'my' (mon, ma, mes). In addition to 'my', you will need to know how to say 'your', 'his', 'her', 'our' and 'their'. The following table sets out all the possessive adjective.

Les adjectifs possessifs

	SINGULAR ITEM		PLURAL ITEMS
	Masculine	Feminine	Masculine & Feminine
my	mon	ma	mes
your	ton	ta	tes
his/her	son	sa	ses
	Masculine & Feminine		Masculine & Feminine
our	notre		nos
your	votre		vos
their	leur		leurs

1. One person has one thing.

mon
ton } vélo
son

ma
ta } voiture
sa

When a noun starts with a vowel, always use **mon, ton, son.** E.g. mon école

2. One person has two (or more) things.

mes
tes } livres
ses

3. Two (or more) people have one thing.

notre
votre } école
leur

4. Two (or more) people have two (or more) things.

nos
vos } parents
leurs

ATTENTION !
Son frère means 'his brother' or 'her brother'.
Sa sœur means 'his sister' or 'her sister'.

Voilà notre maison

... et voilà nos enfants.

Voilà leurs possessions !

1. **Pierre est un élève.** Aujourd'hui, il est à l'école. Il étudie dans la salle de classe. Il est entouré de ses objets scolaires.

   Voilà ...

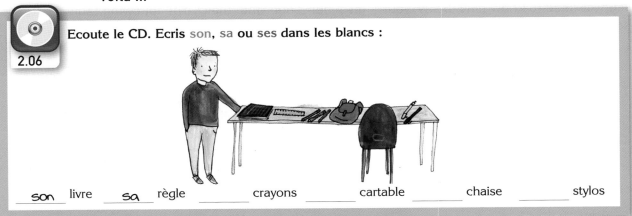

Ecoute le CD. Ecris son, sa ou ses dans les blancs :

2.06

__son__ livre   __sa__ règle   _____ crayons   _____ cartable   _____ chaise   _____ stylos

2. **Madame Daudet est fermière.** Elle travaille en plein air à la campagne. Elle aime les animaux. Aujourd'hui, elle est entourée de ses animaux.

   Voilà ...

Ecoute le CD. Ecris son, sa ou ses dans les blancs :

2.07

__son__ cheval   __sa__ vache   _____ cochons   _____ chèvre   _____ taureau   _____ canards

3. **Yannick et Sylvie sont mariés.** Ils habitent dans un appartment. Aujourd'hui, ils sont dans leur appartement. Ils sont entourés de leur famille, de leurs animaux domestiques et de leurs possessions.

   Voilà ...

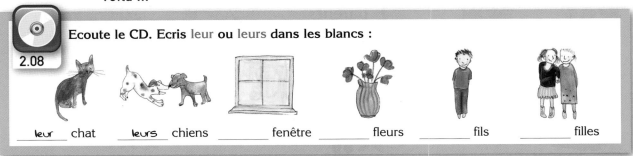

Ecoute le CD. Ecris leur ou leurs dans les blancs :

2.08

__leur__ chat   __leurs__ chiens   _____ fenêtre   _____ fleurs   _____ fils   _____ filles

Devoirs

1. Des images

Regarde les images.
Lis les phrases.
Examine l'utilisation de l'adjectif possessif dans les phrases.
Look at the pictures. Read the sentences. Examine the use of the possessive adjective in the sentences.

1.  Il aide **sa** mère.

2. Elle travaille dans **son** jardin.

3.  Tu aimes **ta** cousine.

4.  Nous écoutons **notre** radio.

5.  Nous cherchons **nos** chiens.

6.  Ils poussent **leur** voiture.

2. Complète les blancs avec un adjectif possessif (ton, ta ou tes).
Write the possessive adjective ton, ta or tes in the blanks.

1. _ton_ livre
2. _ta_ mère
3. _tes_ fleurs
4. ___ école
5. ___ vélo
6. ___ enfants
7. ___ cheval
8. ___ vache
9. ___ moutons
10. ___ porte
11. ___ moto
12. ___ chevaux
13. ___ arbre
14. ___ chiens
15. ___ maison

3. Complète les blancs avec un adjectif possessif (son, sa ou ses).

1. _sa_ sœur
2. _son_ frère
3. ___ filles
4. ___ mari
5. ___ magasin
6. ___ chaise
7. ___ cartable
8. ___ bateaux
9. ___ cahier
10. ___ crayons
11. ___ règle
12. ___ neveu
13. ___ appartement
14. ___ cousines
15. ___ nièce

4. Complète les phrases avec le bon adjectif possessif.
Write the correct possessive adjective in each sentence.

1. J'aime beaucoup _ma_ sœur. (my)
2. Il adore _son_ père. (his)
3. Il adore ___ mère. (his)
4. Je cherche ___ cahiers. (my)
5. Les enfants aiment ___ école. (their)
6. Elle aide ___ frère. (her)
7. Vous aimez ___ école ? (your)
8. Vous aimez ___ oncles ? (your)
9. Ils écoutent ___ professeur. (their)
10. Nous regardons ___ maisons. (our)

On parle de sa famille

2.09

Quatre Français parlent d'un membre de leur famille.
Ecoute le CD. Complète les phrases.
Listen to the CD. Fill in the blanks as four French people talk about a member of their family.

1. – Parle-moi de ta mère.

La mère d'Hélène

Hélène :

– Ma mère s'appelle _____.
Elle est infirmière.
Elle travaille dans un hôpital.
Elle aime la musique. Elle n'aime pas le _____.
Le week-end, elle travaille dans son jardin.
Elle adore les _____.
Ma mère est sympa.

2. – Parle-moi de ton père.

Le père de François

François :

– Mon père s'appelle _____.
Il est architecte mais il ne travaille pas en ce moment.
Il est très intelligent.
Il aime le sport, surtout le rugby.
Il aime aussi le _____. Il préfère
les films de Woody Allen.
J'aime beaucoup mon père.

3. – Parle-moi de ton frère.

Le frère de Nicole

Nicole :

– Mon frère s'appelle Antoine.
Il a _____ ans.
Il aime beaucoup le sport mais il est paresseux.
Il préfère regarder le sport à la télé.
Il aime aussi la _____.
Il n'aime pas les devoirs.
Il adore les _____ !

4. – Parle-moi de ta sœur.

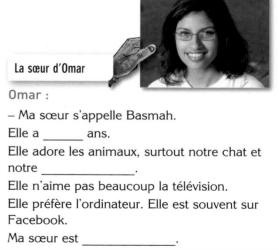

La sœur d'Omar

Omar :

– Ma sœur s'appelle Basmah.
Elle a _____ ans.
Elle adore les animaux, surtout notre chat et
notre _____.
Elle n'aime pas beaucoup la télévision.
Elle préfère l'ordinateur. Elle est souvent sur
Facebook.
Ma sœur est _____.

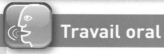

Travail oral

– Parle-moi de ta famille.

Prépare, dans ton cahier, un portrait de ta famille. Présente le portrait à la classe !
Prepare, in your copybook, a portrait of your family. Then present the portrait to the class.

Monaco et sa princesse Stéphanie

Monaco

La principauté de Monaco est située près de Nice. Elle est petite et elle est indépendante. Elle a une population d'environ 33 000 habitants. Les Monégasques sont riches.

Beaucoup de touristes passent des vacances à Monaco. Ils écoutent les guides dans le Palais du Prince. Ils dînent dans les beaux restaurants. Ils admirent les voiliers magnifiques dans le port. Le soir, ils visitent les casinos.

La famille royale s'appelle les Grimaldi.

Monaco sur la carte

La princesse Stéphanie de Monaco parle de sa famille.

« Je m'appelle Stéphanie de Monaco. Je suis une princesse. Je vous présente ma famille :

J'ai deux filles et un fils. J'ai un frère et une sœur. Mon frère s'appelle Albert. Il est le prince de Monaco. Ma sœur s'appelle Caroline. Elle est une princesse. Elle a deux fils et deux filles.

J'ai donc deux neveux et deux nièces. Mes enfants ont quatre cousins et cousines. »

La princesse Stéphanie de Monaco

Compréhension
Lis le texte. Vrai ou faux ? Coche (✓) la bonne colonne.

Read the text. Read each sentence below. Is it true or false? Tick the correct column.

	Vrai	Faux
1. Monaco est très grande.		✓
2. Les touristes aiment Monaco.		
3. Stéphanie a une sœur.		
4. Stéphanie n'a pas de frère.		
5. Albert a deux sœurs.		
6. Les enfants de Stéphanie ont quatre cousines.		
7. Caroline a trois enfants.		
8. Albert a sept neveux et nièces.		
9. Caroline est la tante des enfants de Stéphanie.		

Verbe irrégulier : FAIRE
Irregular verb: FAIRE – to make/to do

Je	fais	→	I make/do
Tu	fais	→	You make/do
Il	} fait	→	He } makes/does
Elle		→	She
Nous	faisons	→	We make/do
Vous	faites	→	You make/do
Ils	} font	→	They make/do
Elles			

ATTENTION !
Vous faites

1.

Anne **fait** ses devoirs.

2.

Le garçon **fait** son lit.

3.

Les enfants **font** un gâteau.

La forme négative

Je ne **fais** pas
Tu ne **fais** pas
Il ne **fait** pas
Elle ne **fait** pas
Nous ne **faisons** pas
Vous ne **faites** pas
Ils ne **font** pas
Elles ne **font** pas

To make the verb negative ...

Put ne before the verb and pas after it.

Pierre ne **fait** pas ses devoirs !

La forme interrogative

Est-ce que je fais ?
Fais-tu ?
Fait-il ?
Fait-elle ?
Faisons-nous ?
Faites-vous ?
Font-ils ?
Font-elles ?

To ask a question ...

1. When asking a question, you can use
   Est-ce que ... ?
   e.g. **Est-ce que tu fais ?**

2. You can also use inversion.
   e.g. **Tu fais → Fais-tu ?**

Anne, fais-tu la cuisine ?

N.B. Drop the 'e' from que before a vowel
(**il**, **elle**, **ils**, **elles**)
e.g. **Est-ce qu'il fait une promenade ?**

– Qu'est-ce que tu fais ? /– Qu'est-ce que vous faites ?
'What are you doing?'

Lis les réponses aux questions. Regarde les images.

1.
– Je fais mes devoirs.

2.
– Je fais mon lit.

3.
– Je fais les courses.

4.
– Je fais la cuisine.

5.
– Nous faisons une promenade.

6.
– Je fais le ménage.

7.
– Nous faisons la vaisselle.

8.
– Je fais la lessive.

9.
– Nous faisons du ski.

10.
– Nous faisons un voyage en voiture.

11.
– Je fais une excursion à la campagne.

12.
– Nous faisons du vélo.

– Qu'est-ce que tu fais ? / – Qu'est-ce que vous faites ?

2.10

Ecoute la série de questions et de réponses.
Listen as the question is put to the people in the illustrations above. We want to know what they are doing. Exemple : 1.– Qu'est-ce que tu fais ?
– Je fais mes devoirs.

Des activités : expressions avec FAIRE

1. faire mes devoirs — to do my homework
2. faire mon lit — to make my bed
3. faire les courses — to do the shopping
4. faire la cuisine — to do the cooking
5. faire une promenade — to go for a walk
6. faire le ménage — to do the housework
7. faire la vaisselle — to wash the dishes
8. faire la lessive — to do the laundry
9. faire du ski — to do some skiing
10. faire un voyage — to go on a journey
11. faire une excursion — to go for a trip
12. faire du vélo — to cycle

Travail oral

Regarde la série d'images 1–12. Un(e) élève pose la question :

– Qu'est-ce qu'il fait ?   – Qu'est-ce qu'ils font ?
– Qu'est-ce qu'elle fait ?   – Qu'est-ce qu'elles font ?

Un(e) autre élève répond.

Devoirs Tu fais tes devoirs !

1. Le verbe FAIRE

Complète les phrases avec le verbe faire à la forme correcte.

Complete the sentences with the correct part of the verb **faire**.

1. Je _____ fais _____ la vaisselle.
2. Il _____ le ménage.
3. Nous _____ les courses.
4. Elles _____ leurs devoirs.
5. Vous _____ du ski.
6. Tu _____ ton lit.
7. Le chef _____ un gâteau.
8. Les élèves _____ des erreurs.
9. Ma tante _____ une excursion.
10. Les enfants _____ du vélo.
11. Mon oncle _____ une promenade.
12. Leurs nièces _____ un voyage.

2. La forme négative

Ecris les phrases à la forme négative.

Write the sentences in the negative form.

1. Il fait ses devoirs. ➡ Il ne fait pas ses devoirs.
2. Nous faisons la cuisine. ➡ _____
3. Elle fait les courses. ➡ _____
4. Vous faites vos lits. ➡ _____
5. Le grand-père fait le ménage. ➡ _____
6. Les fils de Jean font la vaisselle. ➡ _____

3. La forme interrogative

Ecris les phrases à la forme interrogative.

Utilise Est-ce que ... pour la première personne du singulier (Je).

Utilise l'inversion pour les autres personnes.

Write the sentences in the interrogative form (asking questions).

Use **Est-ce que** for the 1st person singular (Je). Use **inversion** for the other persons.

1. Je fais une erreur. ➡ Est-ce que je fais une erreur ?
2. Tu fais un voyage en voiture. ➡ _____
3. Nous faisons des courses. ➡ _____
4. Vous faites du tennis. ➡ _____
5. Je fais la cuisine. ➡ _____
6. Il fait une excursion. ➡ _____

Des proverbes français

Les proverbes sont intéressants.

Ils sont très utilisés dans les conversations, en français et en anglais.

 Lis les cinq proverbes. On trouve le verbe faire dans chaque proverbe.

1.

Petit à petit, l'oiseau fait son nid.
(Literally: Little by little, the bird makes its nest.)
Rome wasn't built in a day.

2.

On ne fait pas d'omelette sans casser des œufs.
You can't make an omelette without breaking eggs.

3.

Les petits ruisseaux font les grandes rivières.
(Literally: Small streams make big rivers.)
Great oaks from small acorns grow.

4.

Une hirondelle ne fait pas le printemps.
(Literally: One swallow does not make a Spring.)
One swallow does not make a Summer.

5.

L'habit ne fait pas le moine.
(Literally: The habit does not make the monk.)
Don't judge the book by the cover.
i.e. Don't judge by appearances.

Vocabulaire

un oiseau	a bird
un nid	a nest
une omelette	an omelette
un œuf	an egg
un ruisseau	a stream
une rivière	a river
une hirondelle	a swallow
le printemps	the Spring
un habit	a habit
un moine	a monk

 Exercice Ecris les mots suivants au pluriel.

Write the indefinite article and the noun in the plural.

1. un oiseau → des oiseaux
2. un nid → des nids
3. une omelette → _____
4. un œuf → _____
5. un ruisseau → _____
6. une rivière → _____
7. une hirondelle → _____
8. un moine → _____

Les jours de la semaine

You learned the days of the week on page 14. They are often linked with activities – so you will find them in sentences where the verb faire is also used.

lundi	Monday
mardi	Tuesday
mercredi	Wednesday
jeudi	Thursday
vendredi	Friday
samedi	Saturday
dimanche	Sunday

ATTENTION !
Days of the week **do not have a capital letter** in French, unless the word comes at the beginning of a sentence.

1. Three people tell us their plans for one day this week.

Vendredi, je fais les courses.

2. Samedi, je fais le ménage.

3. Dimanche, je joue avec mes amis.

1.

2. Three people tell us what they do on a particular day every week.

Le lundi, je fais mes devoirs.

2. Le mercredi, je fais du tennis.

3. Le samedi, je fais du vélo.

1.

If you put le in front of the day, you are saying what happens on that day every week.

ATTENTION !

N.B. You do not translate the word 'on'.

'On Monday': 1. lundi (on one particular Monday)

2. le lundi (on every Monday, i.e. a habit)

1. – Que fais-tu lundi ?

– Lundi, je visite Paris.

2. – Que fais tu le dimanche ?

– Le dimanche, je visite mes grands-parents.

Le carnet de Guillaume

Guillaume habite à Grenoble dans
les Alpes.
Il a 16 ans et il est un élève.
Il est très occupé.
Il a beaucoup de projets pour
la semaine.
Il écrit des notes dans son carnet.

Voici Guillaume et son carnet.

Mes projets pour la semaine !

20 LUNDI	faire une promenade avec Anne
21 MARDI	parler avec Luc
22 MERCREDI	écouter la radio
23 JEUDI	faire du vélo à la campagne
24 VENDREDI	faire mes devoirs
25 SAMEDI	faire la cuisine avec ma mère
26 DIMANCHE	regarder le match à la télé

Pour chaque jour, écris une phrase ...

Ecris des phrases pour décrire les projets de Guillaume.
Commence chaque phrase avec le jour et le verbe au présent.
Write out, in sentence form, what Guillaume's plans are, based on his diary.
Start each sentence with the day and the present tense of the verb (faire or regular –ER verb).

1. Lundi, je fais une promenade avec Anne.
2. Mardi, je parle avec Luc.
3. _____
4. _____
5. _____
6. _____
7. _____

Corinne et ses projets

2.11

Ecoute le CD. Que fait Corinne chaque jour de la semaine ?
Relie chaque jour avec la bonne activité.
Link each day to the correct activity to show Corinne's plans for the week.

Voici Corinne ...

... et ses projets.

MONDAY	•	•	WATCH T.V.
TUESDAY	•	•	PLAY TENNIS
WEDNESDAY	•	•	WALK
THURSDAY	•	•	LISTEN TO MUSIC
FRIDAY	•	•	SHOPPING
SATURDAY	•	•	HOMEWORK
SUNDAY	•	•	BICYCLE TRIP

Travail oral : réponds aux questions

1. – Que fait Corinne lundi ?   2. – Que fait-elle mardi ?   3. – ... mercredi ? etc.

Les nombres : de 70 à 100
Numbers 70–100

N'oublie pas !
1–20 : page 57
21–69 : page 88

Tu connais les nombres de 1 à 69.
You have already studied the numbers 1–69.
Odd things happen to numbers in French when you reach number 70.

2.12

Lis et écoute les nombres de 70 à 100.
You will hear the numbers between 70 and 100.
Listen to them as they are called out. At the same time, follow them in this table.

70	soixante-dix	**80**	quatre-vingts	**90**	quatre-vingt-dix
71	soixante et onze	**81**	quatre-vingt-un	**91**	quatre-vingt-onze
72	soixante-douze	**82**	quatre-vingt-deux	**92**	quatre-vingt-douze
73	soixante-treize	**83**	quatre-vingt-trois	**93**	quatre-vingt-treize
74	soixante-quatorze	**84**	quatre-vingt-quatre	**94**	quatre-vingt-quatorze
75	soixante-quinze	**85**	quatre-vingt-cinq	**95**	quatre-vingt-quinze
76	soixante-seize	**86**	quatre-vingt-six	**96**	quatre-vingt-seize
77	soixante-dix-sept	**87**	quatre-vingt-sept	**97**	quatre-vingt-dix-sept
78	soixante-dix-huit	**88**	quatre-vingt-huit	**98**	quatre-vingt-dix-huit
79	soixante-dix-neuf	**89**	quatre-vingt-neuf	**99**	quatre-vingt-dix-neuf

J'ai soixante-douze ans.

J'ai quatre-vingt-cinq ans.

100	cent
200	deux cents
1000	mille

1.

2.

Moi, j'ai cent ans !

Les nombres sont difficiles !

Un... deux... trois...

3.

Compte de 70 à 100.
Utilise la liste pour commencer.
Practise counting from 70 to 100.
Use the list at first to help you.

Les nombres : de 70 à 100

Ecris les nombres en lettres.

Having studied the previous page (numbers 70–100), and revised the numbers 1–69, write the following numbers in word form.

6	six	**30**	
16	seize	**31**	
60		**32**	
4		**5**	
14		**15**	
40		**50**	
20		**55**	
21		**80**	
25		**84**	

La France en chiffres

Ecoute le CD et complète le tableau.

2.13   Listen to some facts about France. Each sentence involves a number. Write the number in the sentence and in the grid below.

1. Il y a __12__ avenues autour de l'Arc de Triomphe.

2. Il y a _____ lignes de métro à Paris.

3. Il y a _____ régions en France.

4. Il y a _____ étages dans l'Arche de la Défense.

5. Les Français consomment _____ litres de vin par an par personne.

6. Il y a _____ millions d'habitants en France.

7. Le Château de Versailles compte _____ escaliers.

8. *Le tour du monde en* _____ *jours* est un livre de Jules Verne.

9. La France compte _____ départements.

		Nombre
1.	avenues	12
2.	lignes de métro	
3.	régions	
4.	étages	
5.	litres de vin	
6.	escaliers	
7.	millions d'habitants	
8.	jours	
9.	départements	

un escalier

un étage

1. Aide François ! Replace les briques dans le mur !

François is repairing a wall.
Help him put the bricks back in the wall.

2. L'adjectif possessif

Complète les blancs avec l'adjectif possessif mon, ma ou mes.

Put the possessive adjective mon, ma or mes in the blanks.

1. __ma__ sœur	6. ____ école	11. ____ clé USB			
2. __mon__ frère	7. ____ oncle	12. ____ cheval			
3. __mes__ cousins	8. ____ tante	13. ____ ordinateur			
4. ____ bateaux	9. ____ chiens	14. ____ voiture			
5. ____ chevaux	10. ____ crayon	15. ____ grands-parents			

3. Complète les phrases avec le bon adjectif possessif.

Write the correct possessive adjective in each sentence.

1. J'adore _____ chien.
   my

2. Vous jouez avec _____ cousins.
   your

3. Il regarde _____ maison.
   his

4. Nous plantons _____ fleurs.
   our

5. Pierre est _____ frère.
   her

6. Il aime _____ mère.
   his

7. _____ oncle s'appelle Bernard.
   your

8. Je regarde _____ livres.
   my

9. Ils regardent _____ cahiers.
   their

10. Il travaille dans _____ magasin.
    his

11. Tu écoutes _____ radio.
    your

12. Nous n'aimons pas _____ école.
    our

Compréhension : questions et réponses

Lis les questions et les réponses.
Relie chaque question avec la bonne réponse.
Join the dots to match the question with its answer.

1. Qu'est-ce que tu fais, Jean ? •   • Oui, il fait ses devoirs.
2. Comment s'appelle votre fils ? •   • Elle regarde ses fleurs.
3. Comment s'appelle votre fille ? •   • Je fais la vaisselle.
4. Où habite ton oncle ? •   • Non, samedi, il fait le ménage.
5. Votre fils fait ses devoirs ? •   • Il a soixante-quinze ans.
6. Quel âge a-t-il ? •   • Il habite à Paris.
7. Qu'est-ce qu'elle fait dans le jardin ? •   • Il s'appelle André.
8. Est-ce qu'il fait les courses samedi ? •   • Elle s'appelle Julie.

1. Compte les moutons !

Jean habite à la campagne. Il est fatigué. Il compte les moutons !
Aide Jean ! Compte les moutons avec lui !
Count the sheep for Jean to help him get to sleep.

70... 71... 72... 73... 74... 75... 76... 77... 78... 79... 80... 81... 82...

2. Travail oral en classe

A tour de rôle, chaque élève répond aux questions.
In turn, each pupil replies to these questions. You are given the start of each answer.

Questions	Réponses
1. – Est-ce que tu as ta clé USB ?	– Oui, j'ai ma clé USB.
2. – Est-ce que tu as ton livre ?	– Oui, j'ai _ _ _ _ _ _ _ _.
3. – Est-ce que tu as tes cahiers ?	– Non, je n'ai pas _ _ _ _ _ _ _ _.
4. – Est-ce que tu aimes tes parents ?	– Oui, j'aime _ _ _ _ _ _ _ _.
5. – Est-ce que tu as tes livres ?	– Oui, j'ai _ _ _ _ _ _ _ _.
6. – Tu aimes ta maison ?	– Oui, j'aime _ _ _ _ _ _ _ _.
7. – Est-ce que tu aimes tes cousins ?	– Oui, j'aime _ _ _ _ _ _ _ _.
8. – Est-ce que tu aimes ton école ?	– Non, je _ _ _ _ _ _ _ _.
9. – Est-ce que tu écoutes la radio ?	– Non, je _ _ _ _ _ _ _ _.
10. – Est-ce que tu as un portable ?	– Oui, _ _ _ _ _ _ _ _.

Test

C'est le moment de vérifier tes connaissances du Chapitre 6 !

Test 6

1. L'adjectif possessif

Ecris **mon, ma** ou **mes dans les blancs.**
Write the word for 'my' in each blank.

1. _____ père
2. _____ tante
3. _____ cousins
4. _____ mari

> **4**

2. L'adjectif possessif

Ecris **son, sa** ou **ses dans les blancs.**
Write the word for 'his/her' in the blank.

1. _____ sœur
2. _____ frère
3. _____ école
4. _____ neveux

> **4**

3. Le verbe FAIRE

Complète les phrases avec la forme correcte du verbe faire.
Complete the sentences with the correct part of the verb faire.

1. Tu _____ la lessive à la maison.
2. Jacques et moi, nous _____ le ménage.
3. Que _____ -vous à l'école ?
4. Les neveux _____ un voyage en voiture.

> **4**

4. Des activités : que fais-tu ?

Complète les phrases avec le bon mot.
Finish the sentences with the word which describes each activity.

1. Je fais la _____.
2. Je fais une _____.
3. Je fais les _____.
4. Je fais mes _____.

1.
2.
3.
4.

> **4**

5. Le portrait de Béatrice

Cloze-test: read this description of Béatrice and her family.
Write the correct word in each space. They are all familiar words.

« Salut ! Je m'appelle Béatrice.

J'habite à Limoges en France avec mon père et ma mère. Mon père s'appelle Jean-Luc. Il a 40 _____. Il aime le cinéma et il n'aime _____ le sport.

Ma mère s'appelle Marie. Elle n'aime pas le sport. Elle préfère _____ musique. Elle _____ sympa. »

> **4**

Ton test est noté sur 20.

> Total
> **20**

Chapitre 6 : résumé

 1. Vocabulaire

1. Des activités avec le verbe FAIRE

1. faire mes devoirs
2. faire mon lit
3. faire les courses
4. faire la cuisine
5. faire une promenade
6. faire le ménage
7. faire la vaisselle
8. faire la lessive
9. faire du ski
10. faire un voyage
11. faire une excursion
12. faire du vélo

pense-bête
dictionnaire ✓
grammaire ✓

2. Des proverbes : on utilise le verbe FAIRE

1. Petit à petit, l'oiseau fait son nid.
2. On ne fait pas d'omelette sans casser des œufs.
3. Les petits ruisseaux font les grandes rivières.
4. Une hirondelle ne fait pas le printemps.
5. L'habit ne fait pas le moine.

Je fais une omelette.

3. Les jours de la semaine

lundi, mardi, mercredi, jeudi, vendredi, samedi, dimanche

4. Les nombres : de 70 à 100

soixante-dix, soixante et onze, soixante-douze, ... ,

quatre-vingts, quatre-vingt-un, quatre-vingt-deux, ... ,

quatre-vingt-dix, quatre-vingt-onze, ... cent.

 2. Grammaire

1. Les adjectifs possessifs

	Singular item		Plural items
	Masculine	Feminine	Masculine & Feminine
my	mon	ma	mes
your	ton	ta	tes
his/her	son	sa	ses
	Masculine & Feminine		Masculine & Feminine
our	notre		nos
your	votre		vos
their	leur		leurs

2. Verbe irrégulier : FAIRE

FAIRE	
Je	fais
Tu	fais
Il	fait
Elle	fait
Nous	faisons
Vous	faites
Ils	font
Elles	font

In this chapter, you will ...

- find out where French people live
- listen to people describe their house
- say where you live
- learn the names of various rooms
- name items in your home and garden
- learn how to write a letter

In grammar, you will ...

- learn prepositions
- study the present tense of **voir** (to see)

7

Notre maison

41% des Français habitent dans un appartement.
58% des Français sont propriétaires de leur logement.

52% des Français rêvent d'avoir une maison de campagne.
60% des Français rêvent d'habiter dans une maison dans le Sud de la France.

Où est-ce que tu habites ?

J'habite dans un appartement dans un immeuble en ville.

1.

J'habite dans une maison en banlieue.

2.

J'habite dans une maison à 30 kilomètres de Strasbourg.

3.

J'habite dans une maison à la campagne. Nous avons une ferme.

4.

où ?	where?
habiter	to live
en ville	in town
en banlieue	in the suburbs
à la campagne	in the country
un immeuble	a block of flats
un appartement	an apartment

Tu aimes ma maison ?

 Où est-ce que tu habites ? Ecoute le CD. Complète le tableau.

2.14 Six people tell us where they live. Tick the boxes to indicate…
1. …whether it is in a house or apartment.
2. …whether it is in town, suburbs or countryside.
3. Write the name of the town mentioned.

	1. House or apartment		2. In town, suburbs or in the country			3. Name of town
1.	✓		✓			St.-Etienne
2.						
3.						
4.						
5.						
6.						

 Travail oral – Où est-ce que tu habites ?

Chaque élève répond à la question en une phrase.
In one sentence, each student tells the class where he/she lives.

Où habitent-ils ?

1. Karina

Karina habite dans un immeuble à Nantes, une grande ville dans l'Ouest de la France. Elle aime l'appartement. Il est grand et il est situé près du centre-ville. Elle habite avec ses deux sœurs et ses parents. Les voisins de la famille de Karina sont gentils. Ils ont un chien. Le mercredi, Karina fait une promenade avec le chien dans le parc près de l'immeuble.

2. Cédric

Cédric habite à la campagne dans une ferme. Il habite en Auvergne, une région située dans le Centre de la France. Il n'aime pas habiter à la campagne. Il préfère la ville. Ses amis habitent en ville. Cédric n'a pas de mobylette. Alors, c'est difficile d'aller en ville. Il aime les animaux de la ferme, surtout les chevaux. Il aide son père pendant les vacances.

3. Pauline

Pauline habite dans une petite maison à la montagne. Elle aime la maison et le jardin. Son père travaille en ville. Il est professeur. La ville, Chamonix, est à 15 kilomètres de la maison. Pauline aime faire des promenades en montagne. Elle aime les oiseaux, les moutons et les vaches. Pendant les vacances, Pauline passe trois semaines chez sa tante Carole. Sa tante habite près de la mer.

 Compréhension

Lis le texte. Dans ton cahier, réponds aux questions suivantes en anglais.

1. Who lives in a big apartment? Who lives in a small house?
2. Who has nice neighbours?
3. Which one of the three people lives
   - in the countryside?
   - in the mountains?
   - in town?
4. What does Karina enjoy doing on Wednesday?
5. What animals are mentioned in the texts about Karina, Cédric and Pauline?
6. Who gets to go to the sea? For how long? When?

L'intérieur d'une maison

Tu connais déjà Carine et sa famille (page 97).

Voilà maintenant la maison où ils habitent.

Regarde le dessin. Il montre l'intérieur de la maison.

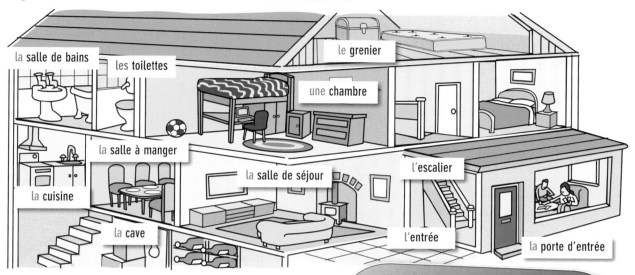

la salle de bains • les toilettes • le grenier • une chambre • la salle à manger • la salle de séjour • l'escalier • la cuisine • la cave • l'entrée • la porte d'entrée

 ## L'intérieur de ma maison

2.15 **Carine décrit l'intérieur de sa maison.**
Ecoute le CD et étudie le dessin.

« Ma famille et moi, nous habitons dans une maison en banlieue. La maison a deux étages.

En bas, il y a l'entrée, le salon, la salle de séjour, la cuisine et la salle à manger.

En haut, il y a trois chambres : la chambre de mes parents, la chambre de mon frère, Eric, et ma chambre. Il y a aussi la salle de bains et les toilettes.

Nous avons une cave et un grenier. Nous n'avons pas de garage. »

en bas	downstairs
le **rez-de-chaussée**	the ground floor
l'**entrée** (f)	the hall
le **salon**	the sitting-room
la **cuisine**	the kitchen
la **salle à manger**	the dining-room
la **salle de séjour**	the living-room
en haut	upstairs
le **premier étage**	the first floor
une **chambre**	a bedroom
la **salle de bains**	the bathroom
le **grenier**	the attic
la **cave**	the cellar
l'**escalier** (m)	the stairs

Anne parle de sa maison
Ecoute le CD.

2.16 Tick the box (✓) if Anne has the following rooms in her house.
Put an **x** if Anne says she does not have them.

escalier	salon	salle de séjour	cuisine	chambres	salle de bains	cave
✓		✗				

Exercices

1. L'article défini

Ecris l'article défini (le, la, l' ou les) dans le blanc.
Write the definite article (le, la, l' or les) in the blank.

1. _____ maison
2. _____ salon
3. _____ entrée
4. _____ chambres
5. _____ cave
6. _____ grenier
7. _____ étages
8. _____ salle de bains
9. _____ jardin
10. _____ escalier
11. _____ cuisine
12. _____ banlieue
13. _____ fenêtre
14. _____ campagne
15. _____ porte

2. L'article indéfini

Ecris l'article indéfini (un, une ou des) dans le blanc.
Write the indefinite article (un, une or des) in the blank.

1. _____ appartement
2. _____ chambre
3. _____ maison
4. _____ fenêtres
5. _____ arbre
6. _____ jardin
7. _____ magasin
8. _____ filles
9. _____ oiseaux
10. _____ promenade
11. _____ ferme
12. _____ immeuble
13. _____ vélo
14. _____ étages
15. _____ cave

3. L'article partitif

Complète les phrases avec de, du, de la, de l' ou des.
Write de, du, de la, de l' or des in the blank.
(Revise pages 78 and 80)

1. Voilà la maison ___de___ Pierre.
2. Voilà l'appartement _____ Madame Duval.
3. Le fils _____ fermier habite à la campagne.
4. La mère _____ enfants travaille dans le jardin.
5. Les parents _____ fille font la vaisselle dans la cuisine.
6. L'oncle _____ Roger passe une semaine à Paris.
7. La maison _____ grands-parents est située en ville.
8. Les livres _____ élève sont dans son cartable.

N'oublie pas !
de + le → du
de + la = de la
de + l' = de l'
de + les → des

4. C'est bizarre !

1. Un homme trouve un oiseau dans sa chambre.
2. Une femme trouve un cheval dans son jardin.
3. Madame Lefèvre trouve un vélo dans son salon.
4. Monsieur Lefèvre trouve une chèvre dans sa cuisine.
5. André trouve deux chats dans la salle de bains.
6. Sophie trouve des fleurs dans sa trousse.

Qu'est-ce qu'on trouve ? Réponds aux questions en anglais.
What do these people find? Write answers to the questions in English.

1. What does a man find?
2. What does a woman find?
3. What does Madame Lefèvre find?
4. What does Monsieur Lefèvre find?
5. What does André find?
6. What does Sophie find?

Une maison à vendre

Une maison à vendre

7 pièces, 2 étages, 130 m².
Cuisine, salon, séjour,
3 chambres, salle de bains.
Cave, garage et jardin.

Prix : 160 000 €

1. **Fais une liste.**
   Make a list of what you would get if you were to buy this house.

2. **Ecris une annonce pour ta maison.**
   Draw up a similar advertisement for your own home.

Maisons à vendre

1. **Saint Victor la Rivière, Auvergne**
   Grande maison à vendre avec vue sur les montagnes.
   En bas : salle de séjour/cuisine.
   En haut : une chambre, salle de bains et WC.
   Garage, terrasse, jardin.
   160 000 €

2. **Paris 7e arrondissement**
   Appartement dans un ancien immeuble au 6e étage.
   Ascenseur. Séjour, cuisine, une chambre, salle de bains.
   Petit balcon.
   340 000 €

3. **Le Barcarès, Pyrénées Orientales**
   Maison à 6 km de la mer. Près d'une école.
   Jardin avec beaucoup d'arbres.
   Séjour, cuisine, 3 chambres, salle de bains.
   395 000 €

 Compréhension **Ecris le numéro de la maison ou de l'appartement ...**

Write the number of the house or apartment where you would ...

		Number
1.	... have the sea nearby.	3
2.	... have a view of the mountains.	
3.	... have two storeys.	
4.	... have a garden with trees.	
5.	... have a balcony.	
6.	... be able to accommodate a family.	

Y a-t-il un salon chez vous ?

Il y a   There is **or** There are

When you want to ask a question with inversion, **Il y a** becomes:

Y a-t-il ... ?   Is there **or** Are there?

Exemple 1 :   – Y a-t-il un salon chez vous ?
              – Oui, il y a un salon chez nous.

Exemple 2 :   – Y a-t-il une salle à manger chez vous ?
              – Non, il n'y a pas de salle à manger chez nous.

Il y a	There is or There are
Combien de ... ?	How many...?
une pièce	a room of any sort
une chambre	a bedroom
chez nous	in our house
chez vous	in your house
le rez-de-chaussée	the ground floor

N'oublie pas !
Un, une and **des** become **de** after **pas** (page 60).

1.
Y a-t-il un grenier chez vous ?
Oui, il y a un grenier chez nous.

2.
Y a-t-il un garage chez vous ?
Non, il n'y a pas de garage chez nous.

3.
Combien d'étages y a-t-il chez vous ?
Il y a deux étages chez nous : le rez-de-chaussée et le premier étage.

4.
Combien de chambres y a-t-il chez vous ?
Chez nous, il y a trois chambres : la chambre de mes parents, la chambre de ma sœur et ma chambre.

5.
Combien de pièces y a-t-il chez vous ?
Il y a sept pièces chez nous. En bas, il y a le salon, la cuisine et la salle à manger. En haut, il y a trois chambres et la salle de bains.

Travail oral : ta maison

Chaque élève répond aux questions.

1. Y a-t-il un salon chez vous ?
2. Y a-t-il une salle à manger chez vous ?
3. Y a-t-il une salle de télévision chez vous ?
4. Combien d'étages y a-t-il chez vous ?
5. Combien de chambres y a-t-il chez vous ?
6. Combien de pièces y a-t-il chez vous ?
7. Y a-t-il un escalier chez vous ?
8. Y a-t-il un ascenseur chez vous ?

Dans ma chambre

Carine décrit sa chambre.

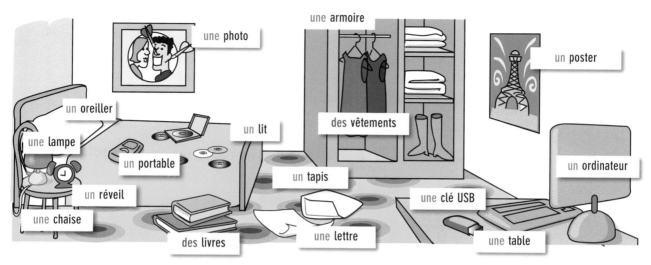

une photo

une armoire

un poster

un oreiller

un lit

des vêtements

une lampe

un portable

un tapis

un ordinateur

un réveil

une clé USB

une chaise

des livres

une lettre

une table

C'est moi encore, Carine !
Je suis dans ma chambre.
Regarde les objets dans ma chambre.

Dans ma chambre

2.17

Carine est dans sa chambre. Elle décrit sa chambre.

Ecoute le CD. Complète les blancs.

« Ma chambre est grande et confortable.

Sur le lit, il y a mon portable et des CD.

Sur la table, il y a _____ ordinateur et ma clé USB.

Sur la chaise, il y a une lampe et un _____.

Sur le tapis, il y a une lettre et _____ livres.

Dans l'armoire, il y a beaucoup de _____.

Près de l'armoire, il y a un poster de _____.

C'est un souvenir de nos vacances dans la capitale.

J'aime beaucoup ma chambre. »

Travail oral

Un(e) élève pose une question.
Un(e) autre élève répond.

1. Qu'est-ce qu'il y a sur le lit ?
2. Qu'est-ce qu'il y a sur la chaise ?
3. Qu'est-ce qu'il y a sur la table ?
4. Qu'est-ce qu'il y a sur le tapis ?
5. Qu'est-ce qu'il y a dans l'armoire ?
6. Qu'est-ce qu'il y a près de l'armoire ?

Une lettre

Julien écrit une lettre à Sophie, sa correspondante. Dans la lettre, il décrit sa maison.

Rennes, le 17 juin

Chère Sophie,

J'habite dans une maison dans la banlieue de Rennes, en Bretagne. En bas, il y a la cuisine, la salle à manger, le salon et la salle de bains.

La chambre de mes parents est au premier étage à l'avant de la maison. Mon petit frère, André, a sa chambre à l'arrière de la maison.

Ma chambre est au premier étage aussi. J'aime beaucoup ma chambre. Elle est grande et confortable. Le soir, je fais mes devoirs et j'écoute mes CD dans ma chambre.

Le jardin est derrière la maison. Nous avons des poules dans le jardin.

Et toi, comment est ta maison ?

Ecris-moi bientôt.

Amitiés,

Julien

Julien

 Compréhension

Lis la lettre de Julien. Réponds aux questions en anglais.

1. Where in Rennes is Julien's house situated?
2. What rooms are downstairs?
3. Whose bedroom is at the front of the house?
4. Whose bedroom is at the back of the house?
5. Why does Julien say he likes his room? (two reasons)
6. What does Julien do in his bedroom in the evening?
7. What does the family keep in the garden?

Tu écris une lettre !

On the previous page, you read a letter written by Julien to his French **correspondante,** Sophie.

It is very important to know how to lay out and write informal letters like this in French.

An informal letter may be seen as a jigsaw in six pieces. Look at this letter written by an Irish girl, Lily White, who lives in Kildare, to her new **correspondante française,** Julie. She is replying to Julie who has sent her photos of her house and bedroom.

A jigsaw in six pieces

Examine the six parts of Lily's letter.

1. Heading
2. Greeting
3. Introductory comments
4. Body of the letter
5. Concluding comment
6. Signing off

1. Kildare, le 15 janvier

2. Chère Julie,

3. Salut ! Ça va ? Merci de ta lettre. Les photos de ta maison et de ta chambre sont jolies.

4. Notre maison est située en banlieue. Elle est assez grande. En bas, il y a la salle de séjour, le salon et la cuisine. En haut, il y a trois chambres et la salle de bains.

   Dans ma chambre, j'ai un lit confortable et une armoire avec mes vêtements. Sur ma table, j'ai beaucoup de magazines et ma collection de CD. J'aime beaucoup ma chambre.

5. Ecris-moi bientôt.

6. Amitiés,
   Ta correspondante irlandaise,
   Lily

You will notice that Lily very correctly addresses Julie in the second person singular form:

   Merci de ta lettre.
   Les photos de ta maison ...
   Ecris-moi bientôt.

This is because she is writing to a young person who is the same age as herself. If Lily was writing to an adult (for example, to Julie's father or mother), she would use the second person plural form: vous, votre

Turn to the next page to find further details on the six parts of a letter.

Tu écris une lettre : deuxième partie

① Heading the letter

At the top of the page, on the right, put the name of your town followed by a comma and then the date.

Note that the names of months do **not** have capital letters.

> ① Sligo, le 21 mars

② Greeting

To a friend of your own age, write:

Cher Marc,

or

Chère Marie,

depending on whether your friend is male or female.

> ② Cher Marc,

> ② Chère Marie,

③ Introductory comment

In the opening sentence of your letter, you want to make polite contact with the person to whom you are writing.

You could 'break the ice' very neatly with sentences such as:

Merci de ta lettre.
J'espère que tout va bien chez toi.
Merci de ta gentille invitation.

> ③ Merci de ta lettre et de ta gentille invitation ...

④ Body of the letter

In this, the main part of the letter, you give information about the points you wish to deal with. Follow the instructions if answering an exam question.
Write simple, accurate French.

> ④ Notre maison est située en ville. Ma chambre est au premier étage.

⑤ Concluding comment

You can draw your letter to a neat conclusion with a suitable final sentence.

> ⑤ Dis bonjour de ma part à ta famille. Ecris-moi bientôt.

⑥ Signing off

Depending on whether you are a boy or a girl, use:

Ton correspondant irlandais

or

Ta correspondante irlandaise.

Then, add one of these:

Amitiés,
Bien à toi,
Amicalement,

> ⑥ Ton correspondant irlandais,
> Amitiés,
> Sean

Ecris une lettre à ton correspondant/ ta correspondante

Dans ta lettre, décris ta maison et ta chambre.

Write a letter to your French penpal. In the letter, describe your house and bedroom. You might also like to include some information about your family.

Les prépositions

Il y a un jardin **devant** notre maison.

Il y a un jardin **derrière** notre maison.

> **Devant** means 'in front of'.
> **Derrière** means 'behind'.

Both of these words are called 'prepositions'. Prepositions are very important words in any language. Here is a list of some of the most important ones in French.

Study the prepositions on the right carefully because they are frequently used.

à côté de	next to
après	after
au bord de	on the edge of
avec	with
chez	at the house of
dans	in
de	of, from
devant	in front of
derrière	behind
en face de	opposite
entre	between
loin de	far from
par	by, through
pour	for
près de	near
sous	under
sur	on

Notre maison est **loin de** l'école.

1.

Notre maison est **au bord de** la mer.

2.

C'est moi ! Je suis **près de** la fenêtre.

3.

Travail oral

Réponds aux questions suivantes.

Qui, dans ta salle de classe, est ...

1. ... près de la fenêtre ?
2. ... près de la porte ?
3. ... loin du professeur ?
4. ... entre la fenêtre et la porte ?
5. ... à côté du radiateur ?

Où est le chat ?

Marie a un chat. Le chat est très vilain !

Marie cherche son chat. Où est-il ?

Le chat est ...

 1.
... sur la boîte.

 2.
... dans la boîte.

3.
... sous la boîte.

 4.
... devant la boîte.

 5.
... derrière la boîte.

6.
... près de la boîte.

7.
... entre la boîte et le vase.

8.
... loin de la boîte.

 Où est le chat ? **Ecoute les réponses. Fais attention aux prépositions.**

2.18 While listening to the answers on the CD, pay special attention to the prepositions.

 Travail oral **Regarde les dessins. Réponds aux questions.**

1. Où est la souris ?
2. Où est l'oiseau ?
3. Où sont les papillons ?
4. Où sont les lapins ?

1.

2.

3.

4.

L'homme distrait

Monsieur Barbot est très distrait ! Il cherche toujours des choses !
Maintenant, il est dans son salon.
Regarde Monsieur Barbot. Regarde les objets dans son salon.

 ## Aide Monsieur Barbot !

Monsieur Barbot pose des questions. Ecris des réponses à ses questions.
Help Monsieur Barbot to find his things! Write out an answer to each question that he asks.
Use as many different prepositions as you can.

1. – Où est mon chien ? _____Votre chien est sous la table._____
2. – Où est mon chat ? _____
3. – Où est la télévision ? _____
4. – Où sont les fleurs ? _____
5. – Où est mon fils ? _____
6. – Où est l'oiseau ? _____
7. – Où est mon livre ? _____
8. – Où est la souris ? _____
9. – Où est mon portable ? _____
10. – Où est mon chapeau ? _____

N'oublie pas !
To say 'your' to an
adult use **votre.**

2.19

– Chico, ta chambre est en désordre !

La mère de Chico est dans la chambre de son fils.
Comme toujours, la chambre est en désordre !
Sa mère n'est pas contente ! Elle parle à son fils.
Ecoute le CD. Réponds aux questions en anglais.
Listen to the CD to see why Chico's mother is not happy with the untidy state
of his room. Answer the questions.

1. Where are his books? ___On the chair___   4. Where is his dictionary? _____
2. Where are his clothes? _____   5. Where is his iPod? _____
3. Where is his computer? _____   6. Where is the cat? _____

Devant la maison

Eric, le frère de Carine, regarde par la fenêtre du salon.
Qu'est-ce qu'il voit devant la maison ?

Devant la maison

Ecoute le CD. Eric fait une liste de ce qu'il voit devant la maison.

2.20　　« Je vois ...

1. des fleurs
2. une pelouse
3. un ballon
4. un vélo
5. des jouets
6. un bassin
7. une niche
8. un arbre
9. une balançoire
10. une voiture
11. une moto
12. un camion
13. une camionnette
14. un autobus
15. des nuages »

Compréhension

Regarde le dessin. Fais des phrases.
Join two halves to make a correct sentence.

1. Le ballon est
2. La voiture est
3. Les fleurs sont
4. Le vélo est
5. Le bassin est

- près de la fenêtre.
- sur la pelouse.
- devant l'arbre.
- entre les jouets et la niche.
- dans la rue.

Verbe irrégulier : VOIR

Je	vois	→	I see
Tu	vois	→	You see
Il } Elle }	voit	→	He } She } sees
Nous	voyons	→	We see
Vous	voyez	→	You see
Ils } Elles }	voient	→	They see

Exercices

1. L'article indéfini

Complète les blancs avec l'article indéfini un, une ou des.

Put the indefinite article (un, une or des) in the blank before each noun.

1. _____ vélo
2. _____ pelouse
3. _____ jouets
4. _____ autobus
5. _____ camionnette
6. _____ lampe
7. _____ tapis
8. _____ réveil
9. _____ vêtements
10. _____ fenêtre
11. _____ moto
12. _____ ballon
13. _____ nuages
14. _____ arbre
15. _____ niche

2. Les prépositions

Complète chaque phrase avec la bonne préposition.

Choose a preposition from the list and write it in the correct sentence.

1. Les livres sont __dans__ la salle à manger.
2. Le tapis est __sous__ le lit.
3. Le jardin est _____ la maison.
4. La cuisine est _____ le salon et la salle à manger.
5. Notre maison est située _____ la mer.
6. Il y a trois chambres et un salon _____ nous.
7. Le père joue dans le salon _____ ses enfants.
8. Les jouets sont dans le jardin _____ la pelouse.
9. Voilà l'appartement _____ Monsieur Delon.
10. Ma chambre est _____ la salle de bains.

Prépositions
sur
entre
derrière
dans ✓
chez
sous ✓
de
avec
à côté de
au bord de

3. Des questions et des réponses

Lis les questions. Ecris les réponses dans ton cahier.

Write answers to the following questions in your copy. The first word of each answer has been given to you. You will have to write some verbs in the negative.

1. Est-ce qu'il y a des fleurs dans le vase ? Oui, _il y a des fleurs dans le vase._
2. Est-ce qu'il y a un chien dans le jardin ? Oui, _____
3. Est-ce que l'arbre est derrière la maison. ? Non, _l'arbre n'est pas derrière la maison._
4. Est-ce que tu fais tes devoirs dans ta chambre ? Oui, _je fais mes devoirs dans ma chambre._
5. Est-ce que tu as un chien ? Oui, _____
6. Est-ce que tu as un appartement? Non, _____
7. Ecoutez-vous la radio ? Oui, _____
8. Est-ce que ta maison est en ville ? Oui, _____
9. Est-ce que vous voyez les fleurs ? Non, _____
10. Est-ce que vous faites la vaisselle ? Oui, _____

A la maison

Lis les questions à choix multiple.

Pour chaque question, écris la bonne réponse (a, b, c ou d) dans la case.

1.  Qu'est-ce que c'est ?

(a) C'est un tapis.
(b) C'est une armoire.
(c) C'est un chapeau.
(d) C'est un bassin.

2.  C'est un oreiller ?

(a) Oui, c'est un oreiller.
(b) Non, c'est un ordinateur.
(c) Non, c'est un lit.
(d) Non, c'est une porte.

3. Qu'est-ce qu'il y a sur la chaise ?

(a) Il y a une niche.
(b) Il y a un portable.
(c) Il y a une lampe.
(d) Il y a un réveil.

4. Où est la souris ?

(a) Elle est derrière le vase.
(b) Elle est devant le vase.
(c) Elle est sous le vase.
(d) Elle est dans le vase.

5.  Qu'est-ce qu'il fait ?

(a) Il fait la cuisine.
(b) Il fait la vaisselle.
(c) Il fait la lessive.
(d) Il fait les courses.

6.  Voici un animal domestique. C'est un chien ?

(a) Non, ce sont deux chiens.
(b) Non, c'est un chat.
(c) Oui, c'est un chat.
(d) Non, c'est un oiseau.

7. Combien d'étages y a-t-il dans l'immeuble ?

(a) Il y a trois étages.
(b) Il y a quatre étages.
(c) Il y a cinq étages.
(d) Il y a six étages.

Travail oral

Choisis une image. Qu'est-ce que tu vois dans l'image ?

Image quatre : je vois un vase et une souris.

Mots croisés

Complète les phrases. Fais les mots croisés.

1.

Voici ma mère.
Elle adore les _____.

2.

Où est mon chien ?
Il est dans la _____.

3.

Voici mon oncle.
Il a peur de son _____.

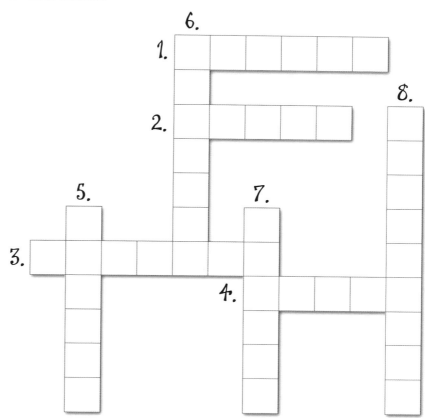

4.

L'enfant est méchant.
Il est sous l'_____.

5.

Mes nièces jouent
avec un _____ sur la pelouse.

6.

Qu'est-ce qu'il fait ?
Il regarde par la _____.

7.

Regarde l'avion !
Il entre dans les _____.

8.

Je travaille dans la
cuisine. Je fais la _____.

Dans le jardin

Regarde le dessin.
Faites les bonnes phrases.
Join the dots to form correct sentences
based on the details of the picture.

1. Devant la fenêtre
2. Sur la pelouse
3. Derrière la balançoire
4. A côté de la niche
5. Dans la niche
6. Près de la porte
7. Sous l'arbre

- il y a un chien.
- il y a un chat.
- il y a un homme.
- il y a une femme.
- il y a deux enfants.
- il y a un ballon.
- il y a un bassin.

Où habitent-ils ?

Say where each one lives. Choose suitable phrases from the box.

1.

3.

J'habite …

2.

4.

dans une maison
dans un immeuble
dans un appartement
dans une ferme
en ville
en banlieue
à la campagne
près de la mer
à la montagne
dans un village

2.21

Ils sont sur Facebook !

Quatre jeunes personnes ont leurs détails sur Facebook.
Ecoute le CD. Complète le tableau.
Four young French people have details about their house on Facebook.
Listen as these details are read aloud. Note them in the grid.

	Where does this person live?	Number of rooms in house?	Which room is he/ she in?	Name 2 items to be seen in the room.
Marc	Strasbourg		Sitting-room	Table and
Sophie	Nantes			Clothes and
Antoine	Tours			Mobile and
Caroline	Lille			Wardrobe and

Une lettre

André écrit une lettre à sa correspondante, Nicole. Lis la lettre d'André.
Complète les blancs.

Read André's letter to Nicole. Fill in the blanks.

Rouen, le 30 novembre

Chère Nicole,

Salut ! Ça va ? Merci de ta lettre.

Moi aussi, j'ai 15 ans. J'habite dans une maison dans la banlieue de Rouen avec mon père, ma mère et ma _____, Aurélie. Ma grand-mère habite aussi chez _____.

Ma mère est journaliste. Mon père ne travaille _____ en ce moment. Aurélie _____ 13 ans. Comme moi, elle aime le sport et _____ musique.

Notre maison _____ très jolie. La maison a deux étages. En bas, il y a _____ salon, la salle de séjour et la cuisine. En _____, il y a trois chambres, _____ salle de bains et les toilettes.

Dans ma chambre, _____ lit est près de la fenêtre. Mes vêtements _____ dans une armoire. J'ai mon iPod et des magazines _____ ma table de nuit.

Combien de personnes y a-t-il dans ta famille ? Où habites-tu ? Comment est ta maison ? Comment est ta chambre ? Aimes-tu le sport _____ la musique ?

Ecris-moi bientôt,

Amitiés,

André

Réponds à la lettre d'André

Reply to André's letter. Deal with all the questions that he asks in his final paragraph.

- ⊙ Présente-toi : ton âge.
- ⊙ Ta famille : fais une liste des personnes dans ta famille.
- ⊙ Dis où tu habites : en ville, en banlieue, à la campagne.
- ⊙ Ta maison : décris ta maison.
- ⊙ Ta chambre : décris ta chambre.
- ⊙ Tes passe-temps : le sport/la musique/le cinéma/les excursions.

Test

C'est le moment de vérifier tes connaissances du chapitre 7 !

Test 7

1. Qu'est-ce que c'est ?

1. C'est un _____.

3. C'est une _____.

2. C'est une _____.

4. Ce sont des _____.

4

2. L'article défini

Complète les blancs avec l'article défini (le, la, l' ou les).
Write the definite article (le, la, l' or les) in the blank.

1. _____ salon

3. _____ salle de séjour

2. _____ entrée

4. _____ chambres

4

3. Les prépositions

Où est la souris ?

Regarde les dessins. Complète les blancs avec la bonne préposition.
Look at each picture. Write the correct preposition in the blank.

La souris est ...

1. _____ la boîte.

3. _____ la boîte.

2. _____ la boîte.

4. _____ la boîte.

4

4. Verbe irrégulier : VOIR

Complète les blancs avec la forme correcte du verbe voir.

1. Je _____ les nuages.
2. Elle ne _____ pas le bassin.
3. Nous _____ les fleurs.
4. Ils ne _____ pas les enfants.

4

5. Cloze-test

Notre maison

Lis la description de la maison. Complète les blancs.

Nous habitons _____ une maison.
Elle _____ grande et très jolie.
_____ est située près de la mer.
Nous avons un petit _____ devant notre maison.

4

Le test est
noté sur 20.

Total **20**

Chapitre 7 : résumé

1. Vocabulaire

1. La situation de la maison / de l'appartement

en ville	dans un immeuble	à la campagne
en banlieue	dans un village	près de la mer
à 10 km de la ville	dans une ferme	à la montagne

2. Les pièces dans la maison

En bas : le rez-de-chaussée
le salon
la cuisine
la cave
la salle à manger
la salle de séjour
l'entrée (f)

En haut : le premier étage
le grenier
la salle de bains
les chambres
les toilettes

3. Dans une chambre

un lit	une armoire	des vêtements
un oreiller	une chaise	
un réveil	une lampe	
un tapis	une table	

4. Dans le jardin

un arbre	une balançoire	des fleurs
un ballon	une niche	des jouets
un bassin	une pelouse	

Moi, j'habite dans une maison à la campagne.

2. Grammaire

1. Verbe irrégulier : VOIR

VOIR	
Je	vois
Tu	vois
Il	voit
Elle	voit
Nous	voyons
Vous	voyez
Ils	voient
Elles	voient

2. Des prépositions

à côté de	en face de
après	entre
au bord de	loin de
avec	par
chez	pour
dans	près de
derrière	sous
	sur

In this chapter, you will ...

- learn how to describe yourself
- learn how to describe your friends
- talk to your friends about sport
- talk about your other pastimes
- ask your friends what their pastimes are
- find out about the major sports in France

In grammar, you will ...

- learn how to make adjectives agree
- study the –IR group of regular verbs

8

Mes amis et moi

J'aime mes amis.
J'aime parler avec mes amis.
J'aime jouer avec mes amis.

Mes amis sont gentils et intéressants.
Je rencontre mes amis au collège et en ville.
On communique aussi sur Facebook.

Les descriptions : moi ... et mes amis

Ecoute les descriptions.

2.22

1. Je m'appelle Pierre. Je suis grand. Je suis beau.

2. Je m'appelle Anne. Je suis grande. Je suis belle.

3. Voici mon ami, Paul. Il est petit. Il est intelligent. Il est sportif.

4. Voici mon amie, Chantal. Elle est petite. Elle est intelligente. Elle est sportive.

5. J'ai une correspondante irlandaise. Elle s'appelle Fiona. Elle a les cheveux longs. Elle n'est pas paresseuse.

6. J'ai un correspondant irlandais. Il s'appelle Michael. Il a les cheveux courts. Il est paresseux.

grand	big/tall
petit	small
sportif	athletic
court	short
long	long
paresseux	lazy
beau/belle	handsome/pretty
les cheveux	hair

As Pierre and Anne were describing themselves and their friends, you may have noticed a difference in spelling at the end of the adjectives – depending on whether a boy or a girl was being described.

This is because **adjectives in French change their ending to agree in gender (and number) with the noun being described**.

This will be explained more fully on the next page.

Pierre est grand / Anne est grande

Les adjectifs

A word which describes a person or thing is called an adjective.

1. **In French, adjectives have to agree with the noun they are describing.** An adjective changes its ending, depending on whether the noun is masculine or feminine, singular or plural.

   Most adjectives can be changed from the masculine to the feminine by **adding 'e' to the masculine.**

Pierre est grand.

Anne est grande.

2. To make an adjective **masculine plural,** you add 's'.

   If an adjective ends in 's' or 'x' in the masculine singular, it remains unchanged in the masculine plural.

   Il est gros.   Ils sont gros.
   Il est heureux.   Ils sont heureux.

Ils sont petits.

3. To make an adjective **feminine plural,** you add 'es'.

   Ils sont petits.   Elles sont petites.

Elles sont petites.

4. If an adjective already ends in an 'e' in the masculine singular, there is **no extra 'e'** added for the feminine singular.

   Patrick est jeune.   Sophie est jeune.

Patrick est jeune.

Sophie est jeune.

5. If an adjective ends in 'f' in the masculine singular, **chop off the 'f' and add 've'** to get the feminine.

   Luc est sportif.   Anne est sportive.
   Luc est actif.   Anne est active.

Il est sportif.

Elle est sportive.

6. If an adjective ends in 'x' in the masculine singular, **chop off the 'x' and add 'se'** to get the feminine.

   Marc est heureux.   Elise est heureuse.

Il est heureux.

Elle est heureuse.

Des adjectifs irréguliers

bon	➡ bonne	good	blanc	➡ blanche	white
beau	➡ belle	beautiful	long	➡ longue	long
nouveau	➡ nouvelle	new	gros	➡ grosse	fat
vieux	➡ vieille	old	fou	➡ folle	mad
gentil	➡ gentille	nice, kind	doux	➡ douce	soft

Des adjectifs : au masculin et au féminin

2.23

Hugo et Lucie prononcent dix adjectifs au masculin et au féminin.
Ecoute le CD. A tour de rôle, pendant les pauses, chaque élève imite la prononciation.

	masculin	féminin
1.	grand	grande
2.	petit	petite
3.	nouveau	nouvelle
4.	paresseux	paresseuse
5.	sportif	sportive
6.	intelligent	intelligente
7.	blond	blonde
8.	long	longue
9.	vieux	vieille
10.	beau	belle

« Moi, c'est Hugo.
Je suis grand.
Je suis intelligent.
Je suis sportif. Et, comme tu vois, je suis très beau ! »

« Moi, c'est Lucie.
Je suis petite.
Je suis très intelligente.
Je suis sportive.
Et, comme tu vois, je suis très belle ! »

L'adjectif, est-il au masculin ou au féminin ?

2.24

	Adjectifs	masculin	féminin
1.	bon/bonne	✓	
2.	fort/forte		✓
3.	heureux/heureuse		
4.	content/contente		
5.	blanc/blanche		
6.	gros/grosse		
7.	actif/active		
8.	généreux/généreuse		
9.	court/courte		
10.	fou/folle		

Ecoute le CD. Coche (✓) la bonne case, comme dans les exemples.

Each adjective will be pronounced in either the masculine or feminine form. Tick the correct column, as in the examples, to indicate whether the adjective has been pronounced in the masculine or feminine form.

Alain et Sophie parlent

2.25

Ecoute le CD. Coche (✓) la bonne case, comme dans l'exemple.
Alain and Sophie speak. As they describe themselves, tick the appropriate boxes.

	Questions	Alain	Sophie
1.	Quel âge ont-ils ?	11 ans	13 ans
2.	Qui est grand/grande ?		✓
3.	Qui est intelligent/intelligente ?		
4.	Qui est gentil/gentille ?		
5.	Qui est sportif/sportive ?		
6.	Qui est paresseux/paresseuse ?		
7.	Qui aime le cinéma ?		
8.	Qui aime le sport ?		

 **Devoirs**

1. Les pluriels

1. **Ecris les adjectifs suivants au pluriel.**
Write the plural of the following adjectives.

1. petit → _petits_   5. blond → _____
2. grand → _____ 6. timide → _____
3. bon → _____   7. gros → _____
4. court → _____ 8. sportif → _____

2. **Ecris les adjectifs suivants au pluriel, comme dans l'exemple.**
Make the adjectives agree in the plural, as shown in the example.

Exemple : Le jardin est grand. → Les jardins sont _grands_.

1. Le vélo est bleu.   → Les vélos sont _____.
2. La voiture est rouge.   → Les voitures sont _____.
3. La jeune fille est petite. → Les jeunes filles sont _____.
4. Mon ami est actif.   → Mes amis sont _____.
5. Mon neveu est gros.   → Mes neveux sont _____.

2. Le féminin

1. **Ecris les adjectifs suivants au féminin singulier.**
Write the following adjectives in the feminine singular form.

1. grand → _grande_   5. généreux → _____
2. amusant → _____ 6. beau → _____
3. long → _____   7. blanc → _____
4. actif → _____ 8. nouveau → _____

2. **Ecris les adjectifs entre parenthèses au féminin.**
Write the adjectives in brackets in the feminine (either in the singular or plural form).

1. Notre maison est _grande_ (grand).
2. Ma tante est _____ (intelligent).
3. Ma nièce est _____ (jeune).
4. Les filles sont _____ (content).
5. Les motos rouges sont très _____ (beau).
6. Ma grand-mère est _____ (gentil).
7. Voilà les femmes _____ (sportif).
8. Nos cousines ne sont pas _____ (paresseux).

3. Facebook

Tu es sur Facebook !
Ecris une description de toi sur Facebook.
Utilise au minimum cinq adjectifs différents.
Write a description of yourself on Facebook. Use at least five different adjectives.

Salut ! Je m'appelle _____. J'ai _____ ans. Je suis ....

Quatre jeunes Français

Ils sont jeunes et ils sont Français.

Ils parlent de leur âge et de leur description physique. Ils parlent aussi de leur personnalité et de leurs goûts (le sport, la musique et d'autres passe-temps).

Ecoute le CD. Complète le texte.

2.26

1. « Je m'appelle Hani.
J'ai _____ ans.
Je suis assez grand.
Je suis gentil et généreux.
J'aime le golf, la musique et les _____.
Je passe mes vacances en Espagne. »

2. « Je m'appelle Marthe.
J'ai _____ ans.
Je suis petite.
Je suis sympa et très généreuse.
J'aime beaucoup le cyclisme et _____ concerts.
J'ai beaucoup d'amis sur Facebook. »

3. « Je m'appelle Carole.
J'ai _____ ans.
Je suis grande et mince.
Je suis active et sportive.
J'adore le jogging et le foot.
J'aime aussi _____ excursions à la campagne en été. »

4. « Je m'appelle Nicolas.
J'ai _____ ans.
Je suis assez grand.
Je suis sympa et amusant.
Je suis paresseux et je n'aime pas le sport.
Je préfère le _____, la télévision et les animaux.
J'adore mon chien. Il est très intelligent ! »

 Compréhension Complète le tableau avec les informations données par les quatre jeunes Français.

	Name	Age	Size	Personality	Interests
1.	Hani		Quite tall	Kind, generous	
2.	Marthe				
3.	Carole				
4.	Nicolas				

 Travail oral Présente-toi à la classe.

Prepare and present a description of yourself to the class (your age, size, personality, interests). Use the portraits above as models for what you should do).

Les descriptions de trois personnes

Lis les descriptions de trois personnes.

1. Mon amie s'appelle **Thérèse**. Elle a douze ans et elle est une élève. Elle est jolie. Elle est timide. Elle a les cheveux longs. Elle aime la musique et elle est sportive. Elle a un vélo bleu. Elle passe ses vacances en Italie.

2. Le père de mon copain s'appelle **François**. Il est pilote et il adore les avions et les voyages. Il est grand. Il est fort et courageux. Il a les cheveux courts. Il a une nouvelle voiture, une Peugeot. Elle est petite mais elle est belle. Elle est rouge.

3. **Agnès** est ma copine. Elle a quinze ans et elle est petite. Elle est intelligente. Elle est sympa. Elle aime le cinéma. Sa maison est blanche. Elle a une correspondante irlandaise. Sa correspondante s'appelle Sinéad.

 Compréhension : réponds aux questions

Read the descriptions of the three people. Answer the following questions in your copybook.

1. Which person is an adult.
2. Who has a penpal?
3. Who likes taking part in sport?
4. Match up the objects mentioned and their colour:

   blue   •   •   house
   white   •   •   car
   red   •   •   bike

5. Who is ...
   - tall?
   - small?
   - pretty?
   - nice?
6. Who has ...
   - a car?
   - short hair?
   - long hair?
   - a bike?

 Paul est sympa / Anne est sympa

Sympa means 'nice'. It is a shortened form of sympathique. As sympathique ends in 'e' in the masculine singular, it does not add an 'e' to become feminine. Neither does sympa. But sympa can add 's' to become plural – in both the masculine and feminine.

1. Il est sympa.
2. Elle est sympa.
3. Ils sont sympas.
4. Elles sont sympas.

Paul est sympa.

Ils sont sympas.

Anne est sympa.

Elles sont sympas.

Exercices Les adjectifs

1. Masculin et féminin

Fais accorder les adjectifs, comme dans l'exemple.
Make the adjectives agree, as shown in the example.

Exemple : Mon père est grand. → Ma mère est __grande__.

1. Mon père est petit. → Ma mère est _____.
2. Mon oncle est sportif. → Ma tante est _____.
3. Mon frère est beau. → Ma sœur est _____.
4. Mon cousin est paresseux. → Ma cousine est _____.
5. Mon copain est jeune. → Ma copine est _____.
6. Mon neveu est actif. → Ma nièce est _____.

2. Masculin ou féminin ? Singulier ou pluriel ?

Fais accorder les adjectifs.
Make the adjectives agree. You will have to decide whether the noun is masculine or feminine, singular or plural, before making the agreement.

1. La France est ___belle___ (beau).
2. Mes amis sont _____ (intelligent).
3. Mon amie est _____ (jolie).
4. Ma tante est _____ (généreux).
5. Les enfants sont _____ (amusant).
6. Ma mère est _____ (gentil).
7. Notre nièce est _____ (jeune).
8. La rue est _____ (long).

3. On est sympa !

Dans les phrases suivantes, fais accorder l'adjectif sympa.

1. Mon oncle est _____ (sympa).
2. Ma tante est _____ (sympa).
3. Mes cousins sont _____ (sympa).
4. Mes cousines sont _____ (sympa).

On préfère les animaux !

2.27

Trois Français parlent de leur meilleur ami. C'est un animal !
Ecoute le CD. Trouve l'affirmation qui est fausse.

Three people talk about their best friend. It is an animal! With each animal, four statements are made. Three statements are true and one is false. Tick the three true statements and put an **x** beside the false one. The first animal has been done for you.

1. Mon cheval	
1. The horse is big.	✓
2. The horse is strong.	✓
3. The horse is old.	✗
4. The horse is a little crazy.	✓

2. Mon chien	
1. The dog does not like cats.	
2. The dog is quite small.	
3. The dog is very active.	
4. The dog is white.	

3. Ma chatte	
1. The cat is old.	
2. The cat is very greedy.	
3. The cat eats mice in the house.	
4. The cat is happy.	

J'adore mon chien !

MES AMIS

Salut !
Je m'appelle Ludo.
J'habite dans une niche
dans le jardin chez Martin.

Voici mon ami César. Il est grand et fort. César a une longue queue. Il est heureux.

Il est gourmand.

Voici une autre amie, Minette.

Minette est très vieille. Elle n'est pas belle. Elle est grosse et paresseuse.

Minnie est une souris blanche.

Elle est petite et assez jeune. Elle est timide. Elle est effrayée.

Martin est fou.

Et voici Martin ! Martin est mon meilleur ami.

Je fais des promenades avec Martin.

Il habite dans une grande maison.

Compréhension

Lis l'histoire de Ludo et de ses amis. Relie les points noirs.

Read the story. Join the dots to form correct sentences.

1. Le petit chien • • s'appelle César.
2. Le grand chien • • a peur de la chatte.
3. La chatte • • aime Martin.
4. La souris • • est paresseuse.

Discussion en classe : comment est Martin ?

Martin, est-il grand ou petit ? Jeune ou vieux ? Actif ou paresseux ? Intelligent ou stupide ?

Bobo le clown

Bobo est l'ami de tous les enfants.
Et tous les enfants aiment Bobo !
Bobo est très amusant.
Regarde la tête de Bobo le clown.

5. le nez

6. la bouche

7. le menton

8. les oreilles

2. le cou

4. les dents

1. les yeux

3. les cheveux

Bobo travaille dans un cirque en France.
Il a le nez rouge et les yeux bleus.
Il a les cheveux bruns et longs.
Il a les dents blanches et noires !
Il a le cou long et le menton pointu.
Bobo est très drôle.
Tout le monde connaît Bobo.
Toute la France aime Bobo.
Bobo aime tous les petits garçons.
Bobo aime toutes les petites filles.

Did you notice...?

In French, when describing a person's physical features, you use the definite article.
e.g. **Il a les** yeux bleus.
What you are saying is:
He has the blue eyes.

Hair is plural in French:
Il a les cheveux bruns.

TOUT

SINGULIER		PLURIEL	
Masculin	**Féminin**	**Masculin**	**Féminin**
tout	toute	tous	toutes

Compréhension

Lis la description de Bobo. Relie les points noirs.

1. Bobo est un • • Bobo.
2. Bobo travaille • • tous les enfants.
3. Bobo aime • • amusant.
4. Tous les enfants aiment • • clown.
5. Bobo est très • • dans un cirque.
6. Bobo a les yeux • • bruns.
7. Bobo a le cou • • bleus.
8. Bobo a les cheveux • • long.

les cheveux (m)	hair
les yeux (m)	eyes
le **nez**	nose
la **bouche**	mouth
les oreilles (f)	ears
les dents (f)	teeth
le **menton**	chin
le **cou**	neck

Mon copain / Ma copine

Tu as un copain ou une copine dans ta classe.

Comment est-il ? / Comment est-elle ?

Complète la fiche suivante.

1. Mon copain s'appelle _____. / Ma copine s'appelle _____.

2. Il a _____ ans. / Elle a _____ ans.

3.

Mon copain est ...	✓	Ma copine est ...	✓
grand		grande	
petit		petite	
beau		belle	
sympa		sympa	
intelligent		intelligente	
généreux		généreuse	
amusant		amusante	
gentil		gentille	
sportif		sportive	
courageux		courageuse	
paresseux		paresseuse	
un peu fou		un peu folle	

4.

Il / Elle a les yeux ...	✓
bleus	
verts	
gris	
marron*	

*Marron (brown) is invariable i.e. it does not change.

5.

Il / Elle a les cheveux ...	✓
longs	
courts	
bruns	
blonds	
roux	

6.

Il / Elle aime ...	✓
le cinéma	
la musique	
les concerts	
la télévision	
la lecture	
les animaux	
la mode	
les vacances	

7.

Il / Elle habite ...	✓
près de chez moi	
loin de chez moi	

Mon copain / Ma copine

Décris ton copain / ta copine. Utilise les détails de la fiche.

Travail oral

Présente la description de ton copain / ta copine à la classe.

Martine et ses copains et copines

Martine parle de ses copains et copines.

2.28 Ecoute le CD. Complète le tableau.

	Age	Eyes	Hair	Personality	Pastime
Alain	12	blue	blond	nice	cinema
Marie		green		generous	
François	9		dark		
Elise			red	kind	

Lucas et ses amis

2.29

Lucas parle de lui et de ses amis.
Ecoute le CD. Lis le texte.
Complète les blancs dans le texte.

Fill in the blanks as you listen to Lucas describe himself and his two friends.

1. « Salut ! Je m'appelle Lucas. J'ai _____ ans. Je suis grand. Je suis fort et intelligent. Comme tu vois, je suis _____ ! Je suis sportif. J'adore le tennis. A la télé, je regarde le tournoi de Roland-Garros à Paris au mois de mai. »

2. « Voilà mon amie, Marie-Christine.
Elle a _____ ans. Elle habite près de chez moi en banlieue.
Elle est grande et _____. Elle est intelligente et généreuse.
Marie-Christine n'est pas paresseuse. Elle est toujours active.
Elle aime beaucoup le roller et la danse. »

3. « Et voilà mon ami, Jean. Comme moi, il a treize ans. Il est assez _____, mais il est fort et courageux. Il est sympa. De temps en temps, il est têtu ! Il adore les voitures. Quand il regarde un championnat de Formule 1 à la télé, il est très _____ »

Compréhension : vrai ou faux ?

Tick the box to indicate whether the statement is true or false.

		Vrai	Faux
1.	Lucas is big and strong.	✓	
2.	Lucas goes to see the tennis at Roland-Garros in May.		
3.	Marie-Christine lives near Lucas in the suburbs.		
4.	Marie-Christine likes roller-blading and dancing.		
5.	Jean is younger than Lucas.		
6.	Jean is nice but sometimes stubborn.		
7.	Jean is happy when he's at a Formula 1 race.		

Regular verbs which end in –IR

On page 82 you learned the first group of regular verbs. They end in –ER in the infinitive.

It is now time to learn the second group of regular verbs which have their infinitive ending in –IR.

FINIR

Step 1	Let's take **FIN**IR (to finish) as an example.
Step 2	Take away the ending from the infinitive, leaving the stem, **fin–**.
Step 3	On to this stem add these endings: –is, –is, –it, –issons, –issez, –issent.

Je	finis	➤ I finish/I am finishing
Tu	finis	➤ You finish/You are finishing
Il Elle }	finit	➤ He (she) finishes/He (she) is finishing
Nous	finissons	➤ We finish/We are finishing
Vous	finissez	➤ You finish/You are finishing
Ils Elles }	finissent	➤ They finish/They are finishing

The negative and interrogative forms follow the same pattern as for –ER verbs.

La FORME NÉGATIVE :

Je ne finis pas.

Nous ne finissons pas.

La FORME INTERROGATIVE :

Finit-il ?   (using inversion)

Est-ce qu'il finit ?   (using **Est-ce que ...?**)

Other –IR verbs treated like finir are:

choisir	to choose
remplir	to fill
punir	to punish
saisir	to catch
rougir	to blush

Le verbe remplir

In your copy, write out the verb remplir in the present tense, in the affirmative and the negative forms.

Dans ton cahier, écris le verbe remplir au présent.

Forme affirmative	Forme négative
Je remplis	Je ne remplis pas
Tu ...	Tu ...

Images en silhouette

The word **silhouette** comes from the name of a Frenchman, Etienne de Silhouette (1709–1767). He liked to make portraits of people cut out of paper. Until the invention of photography in the 19th century, silhouette portraits were popular.

Look at the verbs, ending in –IR, which accompany these silhouettes.

1. Choisir

Je choisis une pomme.

2. Finir

Il finit le livre.

3. Saisir

Elle saisit le ballon.

4. Remplir

Elle remplit le panier.

5. Rougir

Je rougis quand je vois Anne.

6. Punir

Ils ne punissent pas le chien.

 **Devoirs** Les verbes en –IR

Complète les phrases suivantes.

Ecris le verbe entre parenthèses à la forme correcte.

Write the present tense of the –IR verb in brackets in each sentence.

1.	Vous ____punissez____ (punir) les enfants.	6.	Vous _____ (finir) les devoirs.
2.	Tu _____ (rougir) souvent.	7.	Je _____ (remplir) le tableau.
3.	Ils _____ (choisir) leurs livres.	8.	Elle _____ (rougir) beaucoup.
4.	Nous _____ (finir) le gâteau.	9.	Vous _____ (choisir) un vélo.
5.	Il _____ (saisir) le ballon.	10.	Tu _____ (finir) le travail.

« Je fais du sport »

Ecoute Gilles. Il fait du sport avec ses amis.

« Salut ! Je m'appelle Gilles. J'aime beaucoup le sport. J'aime la natation en été et le ski en hiver. Tous mes amis sont sportifs. Ils aiment surtout le golf et le tennis. Quand je suis avec mes amis, on fait du sport.

Pendant les vacances, je fais du vélo à la campagne avec mes parents. Ma sœur est sportive aussi. Elle préfère le basket et le jogging. Et mon correspondant irlandais aime le hurling. C'est le sport national irlandais. »

Mes sports préférés

Quand on est avec ses amis français, on parle du sport.

During a school exchange trip to France, or on holidays there, you will make friends more easily if, like Gilles, you can say what your sporting interests are.

Here is a variety of ways in which you can do so – starting with the simplest forms.

Je fais du sport			
1. J'aime + Noun	J'aime	le cyclisme le ski le golf le foot le basket	J'aime la natation la boxe les promenades
2. J'aime + Verb	J'aime	pêcher danser nager courir	
3. Mon sport préféré, c'est ...	Mon sport préféré, c'est		le ski la pétanque l'athlétisme le jogging
4. Je fais ...	du vélo du ski du cheval de l'athlétisme de la natation de la gymnastique		**N'oublie pas !** de + le = du

Travail oral

Chaque élève pose les questions à son voisin / sa voisine.

1. Est-ce que tu aimes le sport ?
2. Quel est ton sport préféré ?
3. Est-ce que tu aimes nager ?
4. Tu fais du sport le week-end ?
5. Tu fais du sport en été ?
6. Y a-t-il un sport que tu n'aimes pas ?

Quatre jeunes Français : ils aiment le sport

Lis le texte. Ils parlent de leurs sports préférés.

1. « Je m'appelle Eric. Tous les samedis, je fais du cheval. Mon cheval s'appelle Florélie. Il est très gentil et il est rapide. »

2. « Moi, c'est Charlotte. Je pratique mon sport préféré en hiver, sur la neige et dans les montagnes. J'aime beaucoup mon sport. »

3. « Je m'appelle Luc. Je joue à mon sport préféré avec un ballon. Le ballon est blanc et noir. Nous sommes onze joueurs dans une équipe. »

4. « Moi, c'est Sylvie. Quand je pratique mon sport préféré, j'ai une balle et une raquette. On joue à deux ou à quatre. Je joue tous les mercredis après-midis. »

Compréhension

Quels sont les sports préférés de ces quatre personnes ?

Relie chaque nom avec le sport.

Having read the accounts of their favourite sport, link each name with the sport which corresponds.

1. Eric •　• le foot
2. Charlotte •　• le tennis
3. Luc •　• l'équitation
4. Sylvie •　• le ski

Mon sport préféré

2.31 **Ecoute le CD. Complète le tableau. Quel sport aime chacune des huit personnes ?**

Listen to the CD. Write down each person's favourite sport.

	Person	Sport		Person	Sport
1.	Julie	tennis	5.	Juliette	
2.	Stéphanie		6.	Arnaud	
3.	Alexandre		7.	Brice	
4.	Julien		8.	Charles	

Le sport en France

Lis des informations sur les sports les plus pratiqués en France.

1. Le cyclisme

Le cyclisme est un sport national en France. On fait du vélo surtout le dimanche.

Le Tour de France a lieu en juillet. Tous les cyclistes rêvent de porter un jour le maillot jaune.

2. La pétanque

La pétanque, ou les boules, est très populaire en France, surtout dans le Sud du pays.

Les joueurs lancent les boules dans la direction du cochonnet. Les touristes aiment regarder ce jeu.

3. Le ski

En hiver, quand il y a beaucoup de neige en montagne, on fait du ski.

Les skieurs descendent les pistes à toute vitesse. Les meilleurs skieurs choisissent les pistes noires. Mais attention ! Ce sport est assez dangereux pour les débutants.

4. Le football et le rugby

Le grand stade à Paris s'appelle 'le Stade de France'. Le foot est populaire partout en France. On se rappelle la victoire de l'équipe de France dans la Coupe du Monde en 1998.

On joue au rugby surtout dans le Sud-ouest du pays.

Compréhension

Réponds aux questions suivantes en anglais.

In your copybook, answer the following questions in English.

1. On which day of the week especially do the French go cycling?
2. What do cyclists dream of?
3. Where in France is bowling most popular?
4. Which ski slopes do expert skiers choose?
5. In football, what do people remember about the year 1998?
6. In which part of France is rugby played the most?

Mots croisés

Voilà Chico !

Il n'est pas sportif. Il est paresseux !

Il a une petite amie. Elle s'appelle Nini.

Nini n'est pas paresseuse. Elle est sportive.

Et son chien, Pépé, est très actif. Il aime courir. Il remue sa queue quand il est content.

Fais les mots croisés

1. Complète chaque phrase.
2. Le mot que tu trouves dans chaque phrase est une solution pour les mots croisés.
   Fill in the missing word in each blank. This word is a solution in the crossword.

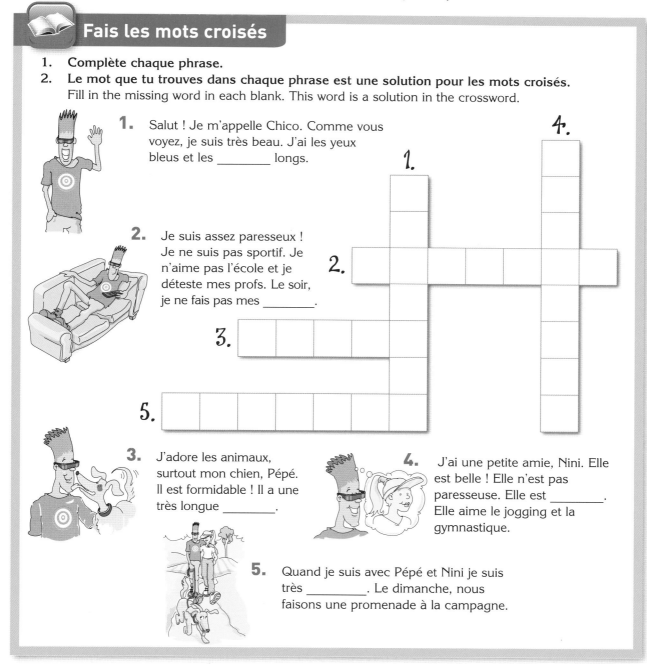

1. Salut ! Je m'appelle Chico. Comme vous voyez, je suis très beau. J'ai les yeux bleus et les _____ longs.

2. Je suis assez paresseux ! Je ne suis pas sportif. Je n'aime pas l'école et je déteste mes profs. Le soir, je ne fais pas mes _____.

3. J'adore les animaux, surtout mon chien, Pépé. Il est formidable ! Il a une très longue _____.

4. J'ai une petite amie, Nini. Elle est belle ! Elle n'est pas paresseuse. Elle est _____. Elle aime le jogging et la gymnastique.

5. Quand je suis avec Pépé et Nini je suis très _____. Le dimanche, nous faisons une promenade à la campagne.

Les adjectifs

1. Le féminin des adjectifs
Ecris les adjectifs au féminin singulier.

1. blond → _blonde_
2. amusant → _____
3. content → _____
4. jeune → _____

5. actif → _____
6. heureux → _____
7. bon → _____
8. gentil → _____

2. Masculin au féminin ? Singulier ou pluriel ?
Fais accorder les adjectifs entre parenthèses.

1. La maison est ___grande___ (grand).
2. Il a les yeux _____ (bleu).
3. La queue est _____ (long).
4. La jeune fille est _____ (beau).

5. Mes copains sont _____ (gentil).
6. Les femmes sont _____ (généreux).
7. Ma mère est _____ (sympa).
8. Luc et André sont _____ (sportif).

2.32

Deux jeunes Français

Laure et Pierre parlent. Ecoute le CD. Lis le texte.

1. « Salut ! Je m'appelle Laure. J'ai douze ans. J'ai les cheveux bruns et les yeux verts. Je suis mince. Je suis gentille et active. J'aime le cinéma et la natation. J'adore les animaux. Nous avons un chien à la maison. Mon père est ingénieur et ma mère est infirmière. J'ai un frère. Je n'ai pas de sœur. Nous habitons en banlieue. J'ai une amie. Elle s'appelle Amandine. Elle habite près de chez moi. Elle est sympa. »

2. « Salut ! Je m'appelle Pierre. J'ai quatorze ans. J'ai les cheveux blonds et les yeux bleus. Je suis grand. Je suis amusant et généreux. J'aime .... »

Relis le texte et écoute encore le CD.
Complète le tableau.
Read the text again. Then listen to the **full account** of what Laure and Pierre say on the CD. Fill in the details in the grid.

		Laure	Pierre
1.	Age		
2.	Colour of hair		
3.	Colour of eyes		
4.	Personality		Amusing and
5.	Interests		Sport and
6.	Family pet		
7.	Father's job		Pilot
8.	Mother's job		
9.	Number of brothers		
10.	Number of sisters		
11.	Where family lives		Near the sea
12.	Friend's name		

J'ai un correspondant / J'ai une correspondante

Lis les deux lettres.

François habite à Biarritz. Il écrit une lettre à Rose, sa nouvelle correspondante irlandaise.

Biarritz, le 30 novembre

Chère Rose,

Je m'appelle François. Je suis ton nouveau correspondant.

J'ai 14 ans. J'ai les yeux bleus et les cheveux blonds.

Je suis sympa et intelligent. Je suis sportif. Mes sports préférés sont le tennis et le surf.

J'habite à Biarritz avec ma famille. J'ai une sœur. Je n'ai pas de frère. Mes parents sont sympas.

Et toi ? Quel âge as-tu ? Es-tu grande ou petite ? Est-ce que tu es sportive ? Combien de personnes y a-t-il dans ta famille ? Ecris-moi bientôt.

Amitiés,
François

Rose habite à Tralee. Elle répond à la lettre de François, son nouveau correspondant.

Tralee, le 7 décembre

Cher François,

Merci de ta lettre. Je suis contente d'avoir un correspondant français.

J'ai 13 ans. Je suis petite. J'ai les yeux verts. J'ai les cheveux blonds. Je suis très belle !

Je suis gentille et amusante. Comme toi, j'aime le sport. Mes sports préférés sont le cyclisme et la natation. J'aime aussi la musique et les concerts.

J'ai deux frères. Je n'ai pas de sœur. J'aime beaucoup mes parents.

Amitiés,
Rose

Ecris une lettre !

Tu cherches un(e) correspondant(e) français(e) ?

François est ton nouveau correspondant ! Ecris une lettre à François.
Utilise la lettre de Rose comme modèle.

Imagine that François is your new French **correspondant**. Write him a letter, answering the questions that he asks in his letter. Use Rose's letter as a model. If you are a boy, remember that Rose is writing in the feminine.

Test

C'est le moment de vérifier tes connaissances du Chapitre 8 !

Test 8

1. Les adjectifs

Ecris les adjectifs au féminin singulier.

1. petit → _____

2. bon → _____

3. gentil → _____

4. heureux → _____

4

2. Le pluriel des adjectifs

Ecris les adjectifs au pluriel, comme dans l'exemple.

Exemple : La fille est jeune. → Les filles sont jeunes.

1. Le garçon est amusant. → Les garçons sont _____

2. La moto est rouge. → Les motos sont _____

3. Mon ami est sympa. → Mes amis sont _____

4. Ton copain est heureux. → Tes copains sont _____

4

3. Verbes réguliers en –IR

Ecris le verbe entre parenthèses dans la forme correcte, comme dans l'exemple.

Exemple : Je _____choisis_____ (choisir) un bon livre.

1. Tu _____ (finir) tes devoirs.

2. Elle _____ (choisir) un vélo bleu.

3. Nous _____ (punir) le chien.

4. Ils _____ (remplir) la boîte.

4

4. Cloze-test

Regarde les portraits de Paul et de Brigitte. Lis la description des deux enfants. Complète les phrases.

Voici Brigitte.

_____ a quatorze ans.

Elle _____ belle.

Elle _____ les cheveux bruns.

Elle a _____ yeux verts.

Voici Paul.

Il a treize _____.

Il est _____.

Il a _____ cheveux blonds.

Il a les _____ bleus.

8

Total _____ **20**

Le test est noté sur vingt. Est-ce que tu as une bonne note ?

Chapitre 8 : résumé

1. Dictionnaire

1. Description physique

Il est grand.
Il est petit.
Il est beau.
Il est mince.
Il a les cheveux blonds.
          bruns.
          longs.
          courts.
Il a les yeux bleus.
          verts.
          marron.

Elle est grande.
Elle est petite.
Elle est belle.
Elle est mince.
Elle a les cheveux blonds.
          bruns.
          longs.
          courts.
Elle a les yeux bleus.
          verts.
          marron.

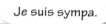

pense-bête
dictionnaire ✓
grammaire ✓

2. Personnalité

Il est intelligent.
     amusant.
     content.
     heureux.
     sympa.
     gentil.
     fou.

Elle est intelligente.
     amusante.
     contente.
     heureuse.
     sympa.
     gentille.
     folle.

Je suis sympa.

3. Les passe-temps

1. Le sport
le cyclisme
le ski
le foot
le basket
la natation
la boxe

2. Les passe-temps
le cinéma
la télévision
la musique
la lecture
les concerts

3. Je fais ...
du vélo
du ski
du golf
du foot
du tennis

de la natation
de la gymnastique
de l'équitation

2. Grammaire

1. Le masculin et le féminin

Adjectifs réguliers		Adjectifs irréguliers	
Masculin	**Féminin**	**Masculin**	**Féminin**
petit	petite	bon	bonne
grand	grande	long	longue
fort	forte	nouveau	nouvelle
jeune	jeune	beau	belle
actif	active	blanc	blanche
heureux	heureuse	fou	folle
		gentil	gentille
		vieux	vieille

2. Verbes réguliers en –IR

Finir	
Je	finis
Tu	finis
Il	finit
Elle	finit
Nous	finissons
Vous	finissez
Ils	finissent
Elles	finissent

In this chapter, you will ...

- find out about fashion in France
- learn the French for items of clothing
- listen to a fashion model
- describe what people are wearing
- say what you are wearing
- learn colours

In grammar, you will ...

- study two irregular verbs: **mettre** (to put) and **prendre** (to take)
- study the demonstrative adjective (this, these): **ce**, **cet**, **cette**, **ces**

Tu es chic !

Les filles et les garçons en France aiment la mode.

Ils aiment acheter des vêtements à la mode. Quelquefois, ils achètent des vêtements de marque comme Lacoste, Louis Vuitton ou Ralph Lauren.

La mode est une industrie importante en France. Des stylistes comme Yves Saint-Laurent, Chanel ou Jean-Paul Gaultier sont célèbres dans le monde entier.

Les vêtements

un jean

une casquette de baseball

un chapeau

une chemise

un chemisier

des chaussures

des chaussettes

des lunettes de soleil

un survêtement

une cravate

une jupe

des baskets

une robe

des gants

un manteau

un tee-shirt

un pantalon

un pull-over

un pyjama

un sac à main

une veste

Les vêtements

Ecoute la liste de vêtements.

2.33

Listen to this list of clothes on the CD.

des **baskets** (f)	runners	un **chemisier**	blouse	un **pull-over**	pull-over
un **jean**	jeans	une **chemise**	shirt	un **pyjama**	pyjamas
des **chaussures** (f)	shoes	des **gants** (m)	gloves	un **sac à main**	handbag
des **chaussettes** (f)	socks	une **jupe**	skirt	un **survêtement**	tracksuit
une **cravate**	tie	un **manteau**	coat	une **robe**	dress
un **chapeau**	hat	un **pantalon**	trousers	un **tee-shirt**	T-shirt
une **casquette de baseball**	baseball cap	des **lunettes** (f) de **soleil**	sunglasses	une **veste**	jacket

Travail oral

Ecoute encore la liste de vêtements.

A tour de rôle, pendant les pauses, chaque élève répète la liste de vêtements.

Les vêtements

Qu'est-ce que tu portes ? What are you wearing?

Porter is the verb 'to wear'. It is a regular –ER verb.
It is treated like **donner**.
Revise –ER verbs on page 82.

PORTER	
Je	porte
Tu	portes
Il }	porte
Elle	
Nous	portons
Vous	portez
Ils }	portent
Elles	

4. Je porte un chemisier.

5. Je porte une casquette de baseball et un survêtement.

3. Je porte un chapeau, une robe et des gants.

2. Moi, je porte un manteau.

1. Je porte une robe.

6. Je porte un pull-over et des baskets.

7. Je porte un tee-shirt et un jean.

8. Je porte une chemise.

Qu'est-ce qu'ils portent ? **Ecoute le CD. Les huit personnes parlent.**

2.34 Listen to the CD. The eight people in the drawing tell us what they are wearing.

 Travail oral – Qu'est-ce que tu portes ?

Chaque élève pose la question à son voisin / sa voisine de classe.
Taking it in turn, ask a classmate what he/she is wearing.

Devoirs

1. L'article défini

Ecris l'article défini (le, la, l' ou les) dans le blanc.

Write the definite article (le, la, l' or les) before the noun.

1. ___le___ chapeau
2. _____ robe
3. _____ manteaux
4. _____ chemise
5. _____ gants

6. _____ chemisier
7. _____ jean
8. _____ cravate
9. _____ baskets
10. _____ pantalon

11. _____ chaussettes
12. _____ pyjama
13. _____ chaussures
14. _____ veste
15. _____ jupe

J'aime mon parapluie !

2. L'article indéfini

Ecris l'article indéfini (un, une ou des) dans le blanc.

Write the indefinite article (un, une or des) in the blank.

1. Je porte ___une___ robe blanche.
2. Il porte _____ veste noire.
3. Elle porte _____ gants gris.
4. Nous portons _____ chaussettes.
5. Mon père a _____ chapeau bleu.

6. Ma mère a _____ chemisier blanc.
7. Ils portent _____ chaussures noires.
8. Ma grand-mère a _____ jupe grise.
9. Est-ce que tu portes _____ baskets à l'école ?
10. Est-ce que tu as _____ parapluie ?

3. La forme affirmative et la forme négative

Ecris un, une, des ou de dans le blanc, comme dans les exemples.

Exemple 1 : J'ai une chemise. Je n'ai pas de cravate.

Exemple 2 : J'ai une cravate. Je n'ai pas de chemise.

Remember! Un, une and des become de in a negative sentence.

1. Marie a ___une___ robe. Elle n'a pas de jupe.
2. Hélène a une jupe. Elle n'a pas _____ robe.
3. Pierre a _____ chemises. Il n'a pas de tee-shirts.
4. François a des tee-shirts. Il n'a pas _____ chemises.
5. Ma grand-mère porte _____ chaussures. Elle ne porte pas de baskets.
6. Ma grand-mère porte un maillot de bain. Elle ne porte pas _____ bikini.
7. Mon oncle porte _____ pantalon. Il ne porte pas _____ jean.
8. Ma tante a _____ chapeau. Elle n'a pas _____ parapluie.

N'oublie pas !
Dans une phrase négative...

un
une } ➜ de
des

Révise page 60.

Lucie est mannequin

2.35   Lucie est mannequin pour Yves Saint-Laurent. Aujourd'hui, elle participe à un défilé de mode à Paris. Elle porte trois tenues différentes. Lucie parle de ses tenues.

Ecoute le CD et lis le texte.
Listen to the CD and read the text.
Lucie, who is a model at a fashion show in Paris, describes her three different outfits.

1.   D'abord, je porte une longue jupe blanche, un chemisier gris et une veste blanche. J'ai aussi un chapeau blanc et des chaussures grises.

    Je n'aime pas beaucoup cette tenue.

2.   Maintenent, je porte un pantalon beige, un pull-over blanc et un manteau noir.

    Mes chaussures sont très jolies. Elles sont noires. J'ai des chaussettes beiges.

    J'aime cette tenue.

3.   Ma dernière tenue est composée d'une robe verte et d'un chemisier blanc.

    J'ai des gants noirs, un sac à main et des lunettes de soleil.

    J'aime beaucoup cette tenue.

Lucie est mannequin.

 Compréhension

Voici la liste des vêtements que porte Lucie.
Having listened to Lucie describe her three outfits, tick the clothes that make up each outfit.
The first one has been done for you, but check it carefully!

	Clothes	✓ 1.	✓ 2.	✓ 3.
1.	hat	✓		
2.	sunglasses			
3.	gloves			
4.	bag			
5.	coat			
6.	jacket	✓		
7.	pullover			
8.	blouse	✓		
9.	dress			
10.	pants			
11.	skirt	✓		
12.	socks			
13.	shoes	✓		

Tu aimes la mode et les défilés ?
www.ados.fr
See this website for news of fashion and the latest fashion shows in France.

Mots croisés

1. **Complète les phrases.**
2. **Le mot que tu trouves dans chaque phrase est une solution pour les mots croisés.**

1. Marie achète des ___chaussures___ .

2. C'est le _____ de mon père.

3. Voici la _____ de ma mère.

4. Luc préfère la _____ grise.

5. Il y a une fleur sur la _____ de mon oncle.

6. Ma mère est contente. Elle aime ses _____ verts.

7. Pierre achète un _____ bleu.

8. Caroline n'est pas contente. Elle n'aime pas son _____.

9. Paul déteste la couleur de son _____.

10. Le _____ de Brice est bleu.

11. La couleur de ta _____ est à la mode.

Mon vêtement préféré

2.36 Ecoute le CD.
Trois Français parlent de leur vêtement préféré.

1. Loïc

« Pour moi, il y a un vêtement important : c'est la casquette de baseball.
J'ai beaucoup de casquettes différentes. Elles sont jolies.
Je choisis mes casquettes dans des magasins de vêtements specialisés.
Ma sœur pense que je suis fou ! »

2. Christine

« Moi, j'aime beaucoup les chapeaux.
Une femme est très élégante quand elle porte un chapeau. Je préfère
les chapeaux blancs. J'ai beaucoup de chapeaux dans ma chambre.
J'achète un chapeau chaque fois que je suis en vacances. »

3. Frédéric

« Je travaille dans un bureau.
Je porte toujours une chemise et une cravate.
Moi, j'adore les cravates !
J'ai une très grande collection de cravates à la maison.
C'est ma femme qui choisit mes cravates pour moi. Elle est gentille ! »

Compréhension

Dans ton cahier, réponds aux questions suivantes en anglais.
In your copybook, reply to the following questions.

1. What does Loïc like?
2. Where does he buy them?
3. What does his sister think of him?
4. What does Christine like?
5. What colour does she prefer?

6. When does she buy one?
7. What does Frédéric like?
8. Who chooses the items for him?
9. What does he say about that person at the end?

Leur vêtement préféré

Ecoute le CD.

2.37 **Quel est le vêtement préféré de chaque personne ?**
What is the favourite item of clothing of each person?

	Name	Favourite item of clothing
1.	Hélène	dress
2.	Luc	
3.	Marie	
4.	Roger	
5.	Yvette	
6.	Antoine	

Deux mannequins

Un **mannequin** means 'a model'. Rather surprisingly, it is a masculine noun.

Alain est mannequin.

Il porte ...
- un pull-over rouge,
- une veste bleue,
- un pantalon gris,
- des chaussettes grises,
- des chaussures noires.

Marie est mannequin.

Elle porte ...
- un chapeau blanc,
- un chemisier jaune,
- des gants noirs,
- une jupe bleue,
- des chaussures blanches.

Examine how each adjective of colour agrees in gender (masculine/feminine) and number (singular/plural) with its noun in the two lists above.

 ## Les vêtements et les couleurs

Choisis la bonne couleur et fais accorder chaque adjectif avec le nom.
With each item of clothing, choose the correct colour in French and make the adjective agree with the noun.

1. un pantalon _____
2. une cravate _____
3. un chapeau _____
4. une chemise _____
5. des baskets _____
6. des chemises _____
7.  des chapeaux _____
8. des gants _____
9.  un pyjama _____
10.  des jupes _____
11. un manteau _____
12.  des manteaux _____

 ## Les vêtements et les couleurs

2.38 **Ecoute le CD. Vérifie tes réponses.**
Listen to the CD. Check your replies to the list of clothes and their colours.

 ## Travail oral

Dis à ton voisin/ta voisine de classe :

1. Ton vêtement préféré.
2. Ta couleur préférée.

« Mon vêtement préféré, c'est ... »
« Ma couleur préférée, c'est ... »

Le journal intime de Sophie

Sophie aime la mode.

Sophie aime les vêtements et les accessoires.

Elle aime aussi les couleurs.

Mais elle a des goûts variés !

Lis une page de son journal intime.

Mon journal intime

Le 1ᵉʳ avril

Lundi

Aujourd'hui, c'est lundi.

Je fais une liste de mes vêtements préférés. Ils sont dans l'armoire de ma chambre. J'ai deux pantalons blancs, un chemisier bleu, des gants jaunes, une jupe verte, deux pull-overs rouges, un manteau marron, des chaussures noires et un chapeau orange.

Conclusion : j'ai des goûts très variés !

Compréhension

Relie les vêtements (à gauche) avec les couleurs (à droite).

As Sophie admits, she has varied tastes!
Match the clothes in the left column with the colours in the right column.

1. pants	orange
2. pullovers	green
3. skirt	white
4. hat	red
5. shoes	black
6. gloves	brown
7. coat	yellow
8. blouse	blue

Le journal intime de Sophie : chaque jour de la semaine

Que porte Sophie chaque jour de la semaine ?
Dans ton cahier, pour chaque jour de la semaine, décris les vêtements qu'elle porte.

Exemple :

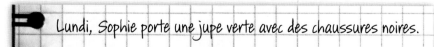

Lundi, Sophie porte une jupe verte avec des chaussures noires.

Look at the list of clothes that Sophie has in her wardrobe.
Write a diary entry for each day of the week saying what Sophie might wear on that day. Monday has been done for you. You may include other items if you wish, as Sophie has more clothes in another wardrobe!

Devoirs

1. Les adjectifs de couleur

Complète les phrases avec la forme correcte de l'adjectif entre parenthèses.
Make the adjective agree with the noun. Write the correct form in the blank.

1. Pierre porte une chemise _____bleue_____. (bleu)
2. Anne porte une jupe _____. (rose)
3. Luc et Paul portent des manteaux _____. (noir)
4. Sophie cherche ses chaussures _____. (rouge)
5. Tu n'aimes pas mes gants _____ ? (blanc)
6. Est-ce que la cravate est _____ ? (vert)
7. Est-ce que les pull-overs sont _____ ? (gris)
8. Il y a une robe _____ dans le magasin. (blanc)
9. Son pyjama est _____ ! (jaune)
10. Leurs chapeaux sont _____. (noir)

2. Des questions et des réponses

Complète les réponses.
Commence chaque réponse par un pronom, comme dans l'exemple.

Exemple : De quelle couleur est **le manteau** ? **Il** est bleu.

Answer each question. Start each answer with a pronoun, as shown in the example.

1. De quelle couleur est **le pantalon** ? _____Il_____ est noir.
2. De quelle couleur est **la cravate** ? _____Elle_____ est rose.
3. De quelle couleur sont **les gants** ? _____ sont blancs
4. De quelle couleur sont **les jupes** ? _____ sont noires.
5. De quelle couleur est **la chemise** ? _____ est bleue.
6. De quelle couleur sont **les chaussures** ? _____ sont rouges.
7. De quelle couleur sont **les vestes** ? _____ sont grises.
8. De quelle couleur est **le pyjama** ? _____ est bleu marine.
9. De quelle couleur est **le parapluie** ? _____ est rouge.
10. De quelle couleur sont **les chemisiers** ? _____ sont bleus.

3. Le pluriel

Ecris les phrases au pluriel.
Write the sentences in the plural. The first one has been done for you.

1. Je porte une cravate. → _Nous portons des cravates._
2. Il porte un manteau. → _____
3. Elle a une robe. → _____
4. Tu as une chemise. → _____
5. J'ai un pantalon noir. → _____
6. Elle a un chemisier rose. → _____
7. Il y a un gant dans le jardin. → _____
8. Voilà un chapeau vert. → _____

Carine et Eric font les magasins

2.39 Ecoute le CD. Complète les quatre paragraphes.

1. Aujourd'hui, c'est samedi. Carine et son frère, Eric, sont en centre-ville. Ils aiment les vêtements tous les deux. Carine _____ la mode.

2. Eric porte une chemise rouge, un pantalon _____ et des chaussures noires.
   Carine porte une belle robe bleue, des chaussettes jaunes et un _____ vert.

3. Carine et Eric regardent des vêtements dans la vitrine d'un _____. Dans la vitrine, il y a un tee-shirt, un jean, une jupe, un manteau, un pantalon, une chemise et deux _____.

4. – Carine, est-ce que tu préfères le chapeau rouge ou le _____ bleu ? demande Eric.
   – Moi, je préjère le chapeau _____. Et toi, Eric, est-ce que tu aimes la chemise ?
   – Non, Carine. Je préfère le tee-shirt jaune. Il est très joli.

Carine et Eric achètent des vêtements

2.40 Carine et Eric entrent dans le magasin de vêtements.

Qu'est-ce qu'ils achètent ? Quels vêtements choisissent-ils ?
Ecoute le CD et complète le tableau.

What clothes do Carine and Eric buy in the clothes shop?
Listen to the CD and fill in the missing details in the table.

	Person	Item of clothes	Colour of item
1.	For Carine		blue
2.	For Eric	T-shirt	
3.	For father		red
4.	For mother	skirt	
5.	For grandmother		gris
6.	For grandfather	pyjamas	

Deux verbes irréguliers

Mettre et **prendre** sont des verbes importants. Ils sont irréguliers.

Mettre (to put/to put on) and **prendre** (to take) are important verbs. They are both irregular. Study them carefully.

Je mets un tee-shirt.

1. METTRE

Je	mets
Tu	mets
Il Elle }	met
Nous	mettons
Vous	mettez
Ils Elles }	mettent

2. PRENDRE

Je	prends
Tu	prends
Il Elle }	prend
Nous	prenons
Vous	prenez
Ils Elles }	prennent

Je prends le chapeau bleu.

Mettre et prendre

2.41 Ecoute les verbes. Pendant les pauses, chaque éléve répète les verbes.

La famille Lefèvre est en vacances

Eric écrit un journal de vacances sur Facebook. Mais il ne connaît pas les deux verbes mettre et prendre ! Lis son journal et complète le texte.

Eric is describing a family holiday on Facebook. But he does not know his verbs! For Friday's account, fill in the correct parts of mettre. For Saturday's account, fill in the correct parts of prendre.

Journal de vacances

Vendredi : Nous sommes à la plage. Je _____mets_____ un tee-shirt pour jouer dans le sable. Carine, ma sœur, _____ un maillot de bains pour nager. Mes parents _____ des chapeaux et des lunettes de soleil. Nous _____ tous de la crème solaire.

Le soir, on dîne au restaurant. Mon père et moi, nous _____ un joli pantalon. Ma mère et ma sœur _____ des robes. Elles sont très élégantes !

Samedi : Nous sommes dans un magasin. J'écoute cette conversation entre maman et Carine !
– Maman, qu'est-ce que tu prends ?
– Je _____prends_____ la robe blanche. Et toi, Carine, qu'est-ce que tu _____ ?
– Je _____ le chapeau bleu. Il est très joli.
– Alors, nous _____ deux articles, une robe et un chapeau.
– Le magasin _____ les cartes Visa ?
– Oui, Carine. Les grands magasins _____ les cartes bancaires.

Des questions à choix multiple

De quelle couleur... ?

Lis les questions à la choix multiple.

Pour chaque question, écris la bonne réponse (a,b,c ou d) dans la case.

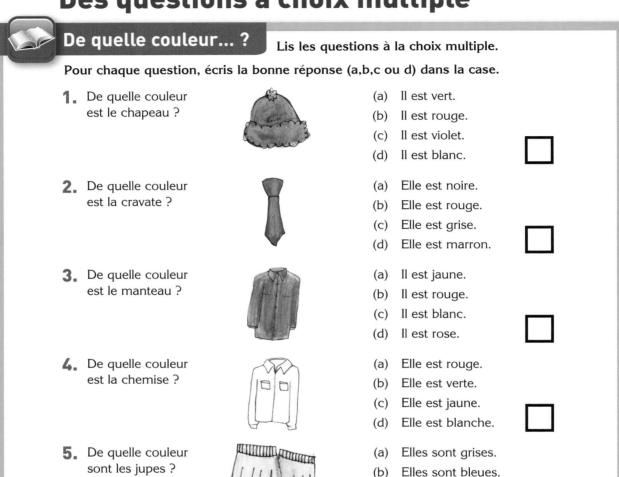

1. De quelle couleur est le chapeau ?

   (a) Il est vert.
   (b) Il est rouge.
   (c) Il est violet.
   (d) Il est blanc.

2. De quelle couleur est la cravate ?

   (a) Elle est noire.
   (b) Elle est rouge.
   (c) Elle est grise.
   (d) Elle est marron.

3. De quelle couleur est le manteau ?

   (a) Il est jaune.
   (b) Il est rouge.
   (c) Il est blanc.
   (d) Il est rose.

4. De quelle couleur est la chemise ?

   (a) Elle est rouge.
   (b) Elle est verte.
   (c) Elle est jaune.
   (d) Elle est blanche.

5. De quelle couleur sont les jupes ?

   (a) Elles sont grises.
   (b) Elles sont bleues.
   (c) Elles sont noires.
   (d) Elles sont jaunes.

De quelle couleur est le drapeau français ?

Il est bleu, blanc et rouge.

Travail oral

Montre un objet dans ta salle de classe et pose la question :
– De quelle couleur est ... ?

Jack lit une lettre

Véronique habite à Beauvais, en Picardie. C'est dans le Nord de la France.
Véronique a un nouveau correspondant irlandais. Il s'appelle Jack.
Jack habite à Dublin. Aujourd'hui, Jack lit une lettre de Véronique.

 Une lettre

Beauvais, le 21 mars

Cher Jack,

Merci de ta lettre. Je suis très contente d'avoir un correspondant irlandais.

Moi aussi, j'aime le sport et le cinéma. J'aime aussi la mode et les vêtements.

A l'école, je porte des vêtements simples : un chemisier blanc, un pull-over, une jupe ou un jean.

Le mercredi, je fais du foot. Pour le foot, je porte un survêtement et des baskets.

Le week-end, je porte un tee-shirt et un jean.

Pour les vacances, je vais à la mer en Normandie. Je mets toujours des shorts et une casquette de baseball. A la plage, je porte un maillot de bains.

Et toi, aimes-tu les vêtements ?

Qu'est-ce que tu portes à l'école ? Et le week-end ?

Qu'est-ce que tu portes pendant tes vacances ?

Ecris-moi bientôt.

Ta nouvelle correspondante,

Véronique

 Ecris une lettre à Véronique !

Imagine that Véronique is your new penpal.
Write a letter to her. Answer all the questions that she asks.

Grammaire : l'adjectif démonstratif

This man wears a hat.

These boys wear baseball caps.

The words **this** and **these** are adjectives, as they tell us more about the nouns 'man' and 'boys'.

In fact, they are called **demonstrative adjectives**, as they point out (demonstrate) the person or people to whom you are referring.
Demonstrative adjectives are very commonly used in English and in French.
Study the following table to see how they are used in French.

Les adjectifs démonstratifs

THIS		THESE
masculin, **singulier**	féminin, **singulier**	masculin & féminin, pluriel
ce, cet	cette	ces

Like all adjectives, **the demonstrative adjective** (this, these) **must agree in French with the gender and number of the noun.**

As you can see from the table above, this adjective has four forms:

1. Masculine, singular ce J'aime ce pull-over.

2. Masculine, singular cet Je choisis cet anorak.
(before a vowel or silent 'h')

3. Feminine, singular cette Je préfère cette robe.

4. Masculine & feminine, plural ces J'adore ces gants.
J'adore ces chaussures.

1. Ce garçon porte un jean.   **2.** Cet homme porte une chemise.

3. Cette femme porte un chapeau.

4. Ces garçons portent des baskets.    **5.** Ces filles portent des chaussures.

Exercices — L'adjectif démonstratif

1. Complète les blancs avec l'adjectif démonstratif (ce, cet, cette ou ces).

Put the demonstrative adjective (ce, cet, cette or ces) before the noun.

1. _ce_ chapeau
2. _____ cravate
3. _____ robe
4. _____ gants
5. _____ manteaux
6. _____ pantalon
7. _____ veste
8. _____ chapeaux
9. _____ jean
10. _____ chemise
11. _____ jupe
12. _____ pyjama
13. _____ chaussettes
14. _____ chemisier
15. _____ sac à main

2. Complète les blancs avec l'adjectif démonstratif (ce, cet, cette ou ces).

1. _cet_ enfant
2. _____ vélo
3. _____ maison
4. _____ livres
5. _____ arbre
6. _____ fenêtre
7. _____ pelouse
8. _____ portes
9. _____ moto
10. _____ nuages
11. _____ escalier
12. _____ salon
13. _____ appartements
14. _____ immeuble
15. _____ ordinateur

3. Complète les phrases avec le bon adjectif démonstratif (ce, cet, cette ou ces).

Put the correct démonstrative adjective (ce, cet, cette or ces) before the noun in each of these sentences.

1. Thomas aime porter ___ce___ chapeau.
2. Virginie adore _____ chaussures rouges et blanches.
3. Est-ce que tu aimes _____ cravate ?
4. Jean n'aime pas porter _____ veste.
5. Mes parents portent _____ lunettes de soleil.
6. Est-ce que vous prenez _____ jupe, Madame ?
7. Patrick porte _____ baskets pour faire du jogging.
8. Céline n'aime pas _____ pantalon.
9. François, est-ce que tu aimes _____ casquette de baseball ?
10. Ma mère n'aime pas _____ chemisier jaune.

Cette **élève est fatiguée !**

177

Ce tee-shirt est trop petit

1.

Ce tee-shirt est
trop petit.

2.

Cet anorak est
trop grand.

3.

Cette cravate est
trop longue.

4.

Ces pantalons sont
trop larges.

Travail oral

Parle de ces vêtements, comme dans les exemples ci-dessus.

Speak about these clothes – following the examples above.

1.

Ce chapeau...

2.

Cette robe...

3.

Cette jupe...

4.

Ces chaussures...

5.

Ce pull-over...

6.

Ces gants...

7.

Cette veste...

8.

Cette chemise...

Les vêtements

Vérifie les réponses !

2.42

Ecoute le CD pour vérifier les réponses de la classe.

Luc aime les tee-shirts

- Voici Luc. Il porte un tee-shirt.
- Il a beaucoup de tee-shirts à la maison.
- Il a des tee-shirts bleus et des tee-shirts jaunes.
- Il a des tee-shirts blancs et des tee-shirt noirs.

- Il a un tee-shirt qui est trop petit !
- Il a un tee-shirt qui est trop long !
- Il porte un tee-shirt le soir ou le week-end.
- Il ne porte pas de tee-shirt à l'école !

Moi, j'aime les tee-shirts

Write a short account about you and your T-shirts. Use the piece about Luc as a model for your account.

Trois histoires : trois moments dans la vie

2.43 Ecoute le CD. Complète le texte.

1. Deux enfants

Ces enfants sont contents. Ils jouent avec
_____des_____ ballons dans leur _____.

 1.

 2.

1. Ce petit garçon s'appelle Marc.
   Où est-il ?
   Il est _____ son jardin.
   Il est content.
   Il joue avec un ballon _____.

2. Cette petite fille s'appelle Marie.
   Où est-elle ?
   Elle _____ dans son jardin.
   Elle est contente.
   Elle joue avec un ballon _____.

2. Deux adultes

Ces adultes sont dans la rue.
Qu'est-ce qu'ils portent ?
Ils portent des _____.

 1. 2.

1. Cet homme est dans la rue.
   Qu'est-ce qu'il _____ ?
   Il porte un chapeau noir.
   Il aime beaucoup _____ chapeau.

2. Cette femme traverse la _____.
   Qu'est-ce qu'elle porte ?
   Elle porte un chapeau _____.
   Mais ce chapeau est trop grand !

3. Deux personnes et deux animaux domestiques

Cette famille est contente.
C'est le soir.
Ils sont à la _____.
Qu'est-ce qu'ils font ?

1.

 2.

 3.

1. Cet enfant est dans le salon.
   Qu'est-ce qu'il fait ?
   Il _____ la télévision.

2. Cette femme est dans sa chambre.
   Qu'est-ce qu'elle met ?
   Elle met une belle _____ rouge.

3. Ces animaux sont dans le jardin.
   Le chien est noir et _____.
   Il s'appelle Toutou.
   Il est très content.
   Mais il n'aime pas le _____ !
   Le chat _____ Minou.

1. Qu'est-ce que c'est ?

1.

un _____

2. des _____

3.

un _____

4.

un _____

5. un _____ (une _____)

une _____

6.

une _____

7.

des _____

8.

une _____

2. Deux murs

Replace les briques dans les murs.

Replace the bricks in the two walls.

3. L'adjectif démonstratif

Complète les blancs avec le bon adjectif démonstratif (ce, cet, cette ou ces).

Write the correct form of the demonstrative adjective (ce, cet, cette or ces) in each blank.

1. J'aime ___ce___ chapeau mais je préfère ___cette___ casquette de baseball.
2. J'aime ___ces___ chaussures mais je préfère _____ baskets.
3. J'aime _____ anorak mais je préfère _____ manteau.
4. J'aime _____ jean mais je préfère _____ lunettes de soleil.
5. J'aime _____ chemise mais je préfère _____ chemisier.
6. J'aime _____ robe mais je préfère _____ jupe.

1. De quelle couleur sont ces vêtements ?

Dis à haute voix la couleur de chaque vêtement.
Say aloud the colour of each item of clothing. **Exemple:** « *1. La chemise est bleue.* »

2. Qu'est-ce qu'ils portent ?

Dis à haute voix les vêtements qu'ils portent.

Monique et Jean

Christine et Pierre

Des questions et des réponses

Ecoute le CD.
Relie les questions et les réponses.
Link the black dots to find the matching questions and answers.

2.44

1. Tu aimes ce manteau ?	Il est bleu marine.
2. De quelle couleur est la cravate ?	Elles sont brunes.
3. Qu'est-ce qu'il porte ?	Oui, mais je préfère la veste bleue.
4. Vous prenez cette chemise noire ?	Elle porte une jupe noire.
5. Ce pantalon est bleu ?	Non. Je prends la chemise blanche.
6. De quelle couleur sont les jupes ?	Il porte un manteau gris.
7. Qu'est-ce qu'elle porte ?	Elle est rose.

Test

C'est le moment de vérifier tes connaissances du Chapitre 9 !

Test 9

1. Qu'est-ce que c'est ?

| 4 |

1. C'est une
_____.

2. C'est un
_____.

3. C'est une
_____.

4. Ce sont des
_____.

2. Les couleurs

Fais accorder les adjectifs entre parenthèses, comme dans l'exemple.

| 4 |

Exemple : La jupe est ___*grise*___ (gris).

1. La casquette de baseball est _____ (noir).

2. Les chaussettes sont _____ (jaune).

3. La cravate est _____ (blanc).

4. Les manteaux sont _____ (bleu).

3. L'adjectif démonstratif

Complète le blanc avec l'adjectif démonstratif (ce, cet, cette ou ces).

| 4 |

1. _____ jean   2. _____ anorak   3. _____ gants   4. _____ jupe

4. Deux verbes irréguliers : mettre et prendre

Complète les phrases avec la forme correcte du verbe.

| 4 |

1. Pierre _____ un tee-shirt bleu.   2. Les filles _____ leurs manteaux.
   mettre   mettre

3. Tu _____ la cravate rouge ?   4. Les garçons _____ ces baskets.
   prendre   prendre

5. Cloze-test

Carine parle. Elle fait les magasins.

Carine goes shopping. Write the correct word in each blank.

| 4 |

« Aujourd'hui, je _____ les magasins.

Dans un magasin de vêtements, j'achète une robe _____ une jupe.

Je n'achète pas _____ chemisier.

– Cette robe _____ très jolie, dit Maman. »

Ce test est noté sur vingt.

| Total |
| 20 |

Chapitre 9 : résumé

1. Vocabulaire

1. Les vêtements

un anorak	une casquette de baseball	des baskets (f)
un chapeau	une chemise	des chaussettes (f)
un chemisier	une cravate	des chaussures (f)
un jean	une jupe	des gants (m)
un maillot de bains	une robe	des lunettes (f) de soleil
un manteau	une veste	
un pantalon		
un parapluie		
un pull-over		
un pyjama		
un sac à main		
un survêtement		
un tee-shirt		

2. Les adjectifs de couleur

masculin	féminin
beige	beige
blanc	blanche
bleu	bleue
gris	grise
jaune	jaune
rouge	rouge
noir	noire
vert	verte

Tu aimes ces lunettes de soleil ?

2. Grammaire

1. Les adjectifs démonstratifs

Les adjectifs démonstratifs		
masculin, singulier	féminin, singulier	masculin + féminin, pluriel
ce, cet	cette	ces

2. Deux verbes irréguliers

1.

METTRE	
Je	mets
Tu	mets
Il	met
Elle	met
Nous	mettons
Vous	mettez
Ils	mettent
Elles	mettent

2.

PRENDRE	
Je	prends
Tu	prends
Il	prend
Elle	prend
Nous	prenons
Vous	prenez
Ils	prennent
Elles	prennent

In this chapter, you will ...

- learn how to ask the time
- learn how to say the time
- see when the 24-hour clock is used
- describe your school day in an email
- see places to go to in a town
- read about the city of Nice

In grammar, you will ...

- study the irregular verb **aller** (to go)
- study reflexive verbs
- see what happens when the preposition à comes before **le** and **les**

10

Quelle heure est-il ?

Savoir dire l'heure est important :
– pour organiser des rendez-vous avec ses copains.
– pour connaître l'heure de ses activités sportives.
– pour donner l'heure des émissions à la télé.

Pour les horaires de trains, de bus ou d'avion, on utilise toujours les 24 heures.

Pauvre Cendrillon !

Pauvre Cendrillon !

2.45 Ecoute l'histoire de Cendrillon.

Cendrillon danse avec son prince charmant à onze heures.

A minuit, Cendrillon quitte le bal.

Elle arrive à la maison à minuit et demi.

Il est trop tard ! Sa belle-mère n'est pas contente.

Compréhension : relie les points noirs.

1. A 11h,   •   • elle quitte le bal.
2. A 12h,   •   • elle arrive à la maison.
3. A 12h30, •   • elle danse avec son prince charmant.

Quelle heure est-il ?

What time is it?

Telling the time can be divided into four parts:

1. On the hour
2. Minutes past the hour
3. Minutes to the hour
4. Midday and midnight

It is important that you revise numbers (pages 57 and 88).

Quelle heure est-il ?

Quelle heure est-il ?

Ecoute le CD. Regarde la série d'horloges.

2.46 Listen to the CD and look at the series of clocks to learn how to say the time.

- **On the hour**

1.

Il est une heure.

2.

Il est deux heures.

3.

Il est trois heures.

Il est ...

4. quatre heures.
5. cinq heures.
6. six heures.
7. sept heures.
8. huit heures.
9. neuf heures.
10. dix heures.
11. onze heures.

- **Minutes past the hour**

1.

Il est quatre heures cinq.

2.

Il est quatre heures dix.

> There is no word for 'past' in French. Just say the hours and add the number of minutes.
> **Il est six heures cinq.**
> **Il est neuf heures vingt.**

3.

Il est quatre heures et quart.

4.

Il est quatre heures vingt.

5.

Il est quatre heures vingt-cinq.

6.

Il est quatre heures et demie.

Quelle heure est-il ?

Il est quatre heures dix.

> Et is used only for 'quarter past' and 'half past'.
> **Il est sept heures et quart.**
> **Il est onze heures et demie.**
> Note the 'e' added to demi.

- Minutes to the hour

1.  Il est cinq heures moins **vingt-cinq**.

2. Il est cinq heures moins **vingt**.

3. Il est cinq heures moins **le quart**.

4. Il est cinq heures moins **dix**.

5. Il est cinq heures moins **cinq**.

Moins means 'minus' or 'less'. Once the half-hour is passed, you take away the time from the next hour.

Il est sept heures **moins** cinq.
Il est neuf heures **moins** vingt.
Il est onze heures **moins** le quart.

Quelle heure est-il ?

Il est cinq heures moins le quart.

- Midday and midnight

For twelve o'clock you say **midi** (midday) or **minuit** (midnight)

1. Il est midi.

2. Il est midi et demi.

3. Il est minuit.

4. Il est minuit et demi.

Quelle heure est-il ?

Il est minuit et demi.

You drop the 'e' from **demie** with **midi** and **minuit** when saying half-past twelve.

L'heure

Il est une heure …
Il est deux heures …
Il est trois heures …
Il est midi …
Il est minuit …

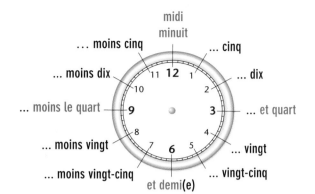

 Quelle heure est-il ? Ecris l'heure comme dans l'exemple.

1.

   Il est _sept heures_

2.

   Il est … _____

3.

   Il est … _____

4.

   Il est … _____

5.

   Il est … _____

6.

   Il est … _____

7.

   Il est … _____

8.

   Il est … _____

9.

   Il est … _____

10.

    Il est … _____

11.

    Il est … _____

12.

    Il est … _____

 Travail oral Chaque élève choisit une horloge et pose la question :
– Quelle heure est-il ?

Un(e) élève pose la question. Un(e) autre élève donne la réponse.
Working in pairs, a student picks one of the clocks above and asks what time it is.
Another student says the time.

Monsieur Dupré

Monsieur Dupré est horloger. Il travaille dans son magasin en centre-ville.

Il répare les réveils, les horloges et les pendules.

Il est vieux et il est sympa.

Il commence son travail à huit heures du matin. Il finit son travail à six heures du soir.

Travail oral

Quelle heure est-il sur chaque réveil, horloge ou pendule ?

Exemple : 1. – Il est quatre heures.

Compréhension

Dans ton cahier, écris des réponses à ces questions en anglais.

In your copybook, write answers to these questions in English.

1. Where is Monsieur Dupré's shop?
2. What sort of man is he?
3. At what time does he start work?
4. At what time does he finish work?

Les autres activités de Monsieur Dupré

Le soir, Monsieur Dupré est très occupé. Il a d'autres activités.

1.
6h

2.
6h15

3.
6h30

4.
6h45

Que fait Monsieur Dupré à l'heure donnée ?
Regarde les images. Relie les points noirs.
Look at the pictures. Link the dots to reveal Monsieur Dupré's evening activities.

1. A six heures	il fait le ménage.
2. A six heures et quart	il fait la vaisselle.
3. A six heures et demie	il fait les courses.
4. A sept heures moins le quart	il fait une promenade.

Sylvain écrit un mél

Un mél, c'est un mail ou email.

Sylvain est un élève.
Il a 13 ans.
Il habite en banlieue. Son école est située en centre-ville.
Ici, il écrit un mél pour parler d'une journée typique à l'école.

 Compréhension Lis ce mél écrit par Sylvain.

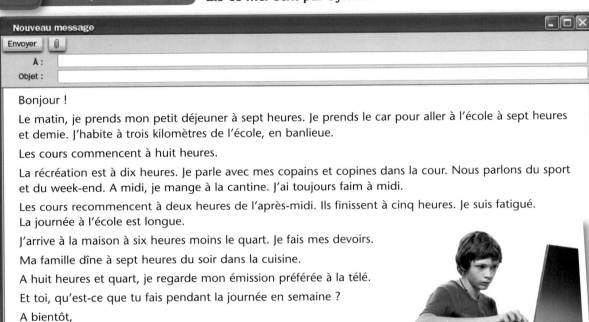

Nouveau message

Envoyer

À :
Objet :

Bonjour !

Le matin, je prends mon petit déjeuner à sept heures. Je prends le car pour aller à l'école à sept heures et demie. J'habite à trois kilomètres de l'école, en banlieue.

Les cours commencent à huit heures.

La récréation est à dix heures. Je parle avec mes copains et copines dans la cour. Nous parlons du sport et du week-end. A midi, je mange à la cantine. J'ai toujours faim à midi.

Les cours recommencent à deux heures de l'après-midi. Ils finissent à cinq heures. Je suis fatigué.
La journée à l'école est longue.

J'arrive à la maison à six heures moins le quart. Je fais mes devoirs.

Ma famille dîne à sept heures du soir dans la cuisine.

A huit heures et quart, je regarde mon émission préférée à la télé.

Et toi, qu'est-ce que tu fais pendant la journée en semaine ?

A bientôt,

Sylvain

Fais une liste en anglais des activités de Sylvain.

Time: am	Activities	Time: pm	Activities
7h	He has breakfast.	2h	
7h30		5h	
8h		5h45	
10h		7h	
12 noon		8h15	

 Ecris un mél à Sylvain ! Raconte ta journée à l'école à Sylvain dans un mél.

Utilise le mél de Sylvain comme modèle.

Write an account of your school day in an email to Sylvain, using his email as a model.

C'est Chico !

Voici Chico ! Il étudie l'anglais.
Il sait que le vocabulaire est important.
Il étudie le vocabulaire en anglais.
Fais comme Chico !
Etudie le vocabulaire en français.

Aujourd'hui	Today
Demain	Tomorrow
Ce matin	This morning
Cet après-midi	This afternoon
Ce soir	This evening
Le matin*	In the morning
L'après-midi*	In the afternoon
Le soir*	In the evening
Lundi matin	On Monday morning
Mercredi après-midi	On Wednesday afternoon
Jeudi soir	On Thursday evening
Le lundi matin*	On (every) Monday morning
Le mercredi après-midi*	On (every) Wednesday afternoon
Le jeudi soir*	On (every) Thursday evening

> Some of the time phrases in French refer to a once-off time event. Others (marked ❄) refer to something that occurs at that time every week.

1.

Le soir,
je fais mes devoirs.

2.

Ce soir,
je fais du golf.

3.

Le mercredi,
j'ai une leçon de piano.

4.

Mercredi,
je visite un musée.

Les activités de Chico

Ecoute le CD. Chico parle de ses activités.

2.47 Listen to Chico. He talks about his activities.

Some activities are once-off events. Others are events that happen on a recurring basis. As you listen to Chico, pick the time phrase from the column on the right and place it at the beginning of its sentence.

1. ____Cet après-midi____, je choisis un nouveau jeu vidéo.	
2. _____, je quitte l'école à cinq heures.	
3. ____Ce soir____, je regarde un film à la télé.	
4. _____, je dîne chez moi.	
5. ____Samedi matin____, j'achète un tee-shirt.	
6. _____, je joue dans le parc avec mon copain.	
7. ____Vendredi____, je fais du golf avec mon père.	
8. _____, je fais mes devoirs.	
9. _____, je prépare un repas chez moi.	
10. ____Le dimanche____, je suis avec ma famille toute la journée.	

Ce soir,	✓
Le soir,	
Samedi matin,	✓
Le samedi,	
Cet après-midi,	✓
L'après-midi,	
Vendredi,	✓
Le vendredi soir,	
Dimanche,	
Le dimanche,	✓

Verbe irrégulier : ALLER

Le verbe ALLER (to go) est très important.

Etudie le verbe dans le tableau.

When we want to say **to go** **somewhere** in French, we use the verb aller followed by the preposition à.

Aller

2.48

Ecoute le verbe aller.

Pendant les pauses, chaque élève répète le verbe.

ALLER	
Je	vais
Tu	vas
Il	va
Elle }	
Nous	allons
Vous	allez
Ils }	vont
Elles }	

Je vais à l'école.

As well as being the verb used to indicate the place to which a person is going, aller can also be used to ask how a person is feeling.

1.   Comment vas-tu ?
How are you?
This second person singular form is said to a friend of your own age.

2.   Comment allez-vous ?
This second person plural form is used when talking to an adult.

3.   Comment allez-vous ?
This form is also used when asking a number of people how they are.

1.

Comment vas-tu ?

Je vais bien.

2.

Comment allez-vous ?

Je vais bien.

3.

Comment allez-vous ?

Nous allons bien.

Comment allez-vous ?

Ecoute les question et les réponses.

2.49

Tick the box to indicate the answer that each person gives.

Question	Réponse		
	– Bien	– Très bien	– Mal
1. – Comment allez-vous ?	✓		
2. – Comment allez-vous ?			
3. – Comment vas-tu ?			
4. – Comment allez-vous ?			
5. – Comment vas-tu ?			
6. – Comment allez-vous ?			

Je vais à Paris/Je vais au cinéma

As you saw on the previous page, the verb aller is frequently followed by the preposition à – which means 'to'.

But what happens when à comes before the definite article – le, la, l' or les ?
Let's set out the possibilities.

1. When you mention the name of a city or town, the situation is straightforward:
    Je vais à Paris.

2. When à comes before the definite article le, à + le contract to au.
    Je vais au magasin.

3. No change takes places when à comes before la.
    Je vais à la boulangerie.

4. Before nouns starting with a vowel (a, e, i, o, u) or before a silent 'h', you write à l'.
    Il va à l'appartement.

5. Before all plural nouns, à + les contract to aux.
    Ils vont aux magasins.

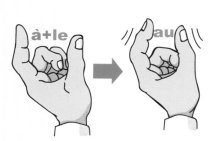

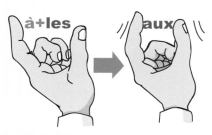

	1. City/Town	2. Masc. sing. place	3. Fem. sing. place	4. Place starting with a vowel	5. Plural places
aller	à	au	à la	à l'	aux
exemple	à Nice	au cinéma	à la banque	à l'hôtel	aux toilettes

– Où vas-tu ?

1.	2.	3.	4.	5.

– Je vais à Nice.	– Je vais au cinéma.	– Je vais à la banque.	– Je vais à l'hôtel.	– Je vais aux toilettes.

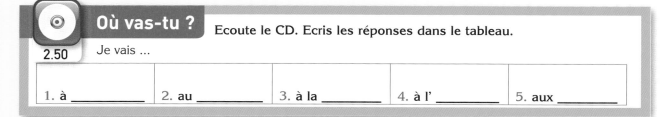

Où vas-tu ? Ecoute le CD. Ecris les réponses dans le tableau.

2.50 Je vais ...

1. à _____	2. au _____	3. à la _____	4. à l' _____	5. aux _____

Où allez-vous ?

Je vais ...

| au | cinéma
restaurant
marché | à la | banque
piscine
plage | à l' | école
église
hôpital | aux | magasins |

 **Exercice** Regarde le dessin. Complète les blancs avec à, au, à la, à l' ou aux.

Fill in the blanks with à, au, à la, à l' or aux.

1. Je vais ___au___ marché.
2. Paul va _____ école.
3. Marie va _____ cinéma.
4. Les enfants vont _____ magasins.
5. Ma mère va _____ gare.

6. Allez-vous _____ bibliothèque ?
7. Est-ce que tu vas _____ plage ?
8. Nous allons _____ hôpital.
9. Elles vont _____ banque.
10. Son fils va _____ piscine.

 Où va Paul ? Ecoute le CD. Complète les réponses.

2.51

1. Paul va _à la gare._
2. Paul va _au_____.
3. Paul va _à la banque._
4. Paul va _à l'_____.

5. Paul va _à la_____.
6. Paul va _____.
7. Paul va _____.
8. Paul va _____.

Nice

Nice est une ville au bord de la mer Méditerranée dans le Sud de la France. C'est une très jolie ville historique. Nice a une population d'environ 350 000 d'habitants.

Les touristes aiment visiter Nice.
Ils trouvent dans la ville un grand marché, des magasins de luxe et une cathédrale splendide.
Ils font une promenade le long de la promenade des Anglais. Ils dînent dans les beaux restaurants.

Carine visite Nice

2.52

Ecoute le CD et complète le tableau.

Carine est heureuse. Elle passe la journée à Nice. Elle a beaucoup de choses à faire. A 10h30, elle va au marché pour acheter des fleurs. A 11h45, elle va à la banque pour retirer de l'argent.

A midi, elle mange au restaurant. C'est un bon restaurant. Il s'appelle *le Papillon*. Il est situé au bord de la mer.

L'après-midi, à 14h, elle fait une promenade sur la plage.

A 17h00, elle va faire les magasins pour regarder les vêtements. A 18h00, elle va au cinéma voir un film.

Enfin, elle va à la gare à 21h15. Elle prend le train pour rentrer à la maison. Quelle journée chargée mais intéressante !

	Time	Place	Activity
1.	10h30	market	buy some flowers
2.	11h45		
3.	12h	restaurant	
4.	14h		take a walk
5.	17h	shops	
6.	18h		
7.	21h15	station	

Devoirs

1. Quelle heure est-il ?

A gauche, on utilise les 24h pour donner l'heure. A droite, on utilise les 12h.
Relie la colonne de gauche avec la colonne de droite.

Match the column on the left with the column on the right to show what time it is.

1. Il est 13h00 •   • Il est trois heures et demie.
2. Il est 15h30 •   • Il est deux heures et quart.
3. Il est 14h15 •   • Il est une heure.
4. Il est 3h20 •   • Il est neuf heures moins le quart.
5. Il est 8h45 •   • Il est cinq heures moins vingt.
6. Il est 16h25 •   • Il est six heures moins dix.
7. Il est 4h40 •   • Il est trois heures vingt.
8. Il est 5h50 •   • Il est quatre heures vingt-cinq.
9. Il est 17h55 •   • Il est minuit.
10. Il est 00h00 •   • Il est six heures moins cinq.

2. Où vont-ils ?

Complète les phrases suivantes avec à, au, à la, à l' ou aux.
Fill in the blanks with à, au, à la, à l' or aux.

1. Luc va _____à_____ Cannes.
2. L'élève va _____ école.
3. Paul et André vont _____ cinéma.
4. La femme va _____ magasins.
5. Yves va _____ marché.
6. L'enfant malade va _____ hôpital.
7. La famille va _____ plage.
8. Sophie va _____ église.

3. Le verbe ALLER

Complète les phrases suivantes avec le verbe aller à la forme correcte.

1. Charlotte _____va_____ à Bordeaux.
2. Mes parents _____ au marché le samedi.
3. Vous _____ au cinéma ce soir ?
4. Je _____ à l'église le dimanche.
5. Ma sœur et moi, nous _____ à la gare.
6. Les élèves _____ à l'école lundi.
7. Est-ce que tu _____ à la bibliothèque ce soir ?
8. Patrick _____ au supermarché.

L'heure ... et les activités

Lis les questions à choix multiple. Pour chaque question écris la bonne réponse (a, b, c ou d) dans la case.

1. Quelle heure est-il ?

02.05

- (a) Il est deux heures.
- (b) Il est deux heures et demie.
- (c) Il est deux heures et quart.
- (d) Il est deux heures cinq.

2. Quelle heure est-il ?

05.55

- (a) Il est six heures cinq.
- (b) Il est six heures moins cinq.
- (c) Il est cinq heures dix.
- (d) Il est six heures moins vingt-cinq.

3. Quelle heure est-il ?

- (a) Il est huit heures moins le quart.
- (b) Il est neuf heures moins le quart.
- (c) Il est huit heures et quart.
- (d) Il est neuf heures et quart.

4. Est-ce qu'il est minuit ?

12.30

- (a) Oui, il est minuit.
- (b) Non, il est minuit et demi.
- (c) Non, Il est midi et demi.
- (d) Non, il est midi et quart.

5. Où va-t-il ?

- (a) Il va à la plage à deux heures.
- (b) Il va au cinéma à trois heures.
- (c) Il va à l'école à huit heures.
- (d) Il va à l'église à huit heures.

6. Où va-t-elle ?

05.05

- (a) Elle va au marché à onze heures cinq.
- (b) Elle va à la piscine à cinq heures cinq.
- (c) Elle va au café à midi moins cinq.
- (d) Elle va à l'hôpital à minuit.

7. Où vont-ils ?

- (a) Ils vont à l'église à une heure.
- (b) Ils vont au cinéma à onze heures.
- (c) Ils vont à la bibliothèque à minuit.
- (d) Ils vont à la bibliothèque à midi.

Où est-ce qu'ils vont ?

Travail oral

Lis à haute voix les phrases. Dis l'heure.

Read each sentence aloud, saying the time
shown on the clock. Afterwards, you can listen
to the CD to check the times said in class.

1. Alain va à l'école ...

2.   Brigitte va au marché ...

3.  Les enfants vont au zoo ...

4.   Je vais à la gare ...

5.   Elle va à la bibliothèque ...

6.  Nous allons au parc ...

7.   Monsieur Jobert va à l'église ...

8.  Madame Jobert va au cinéma ...

9.   Ils vont à l'hôpital ...

10. Pierre et Sophie vont à la banque ...

11.   Anne va à la piscine ...

Où est-ce qu'ils vont... et à quelle heure ?

2.53 Ecoute le CD. Vérifie l'heure de chaque activité.

Listen to the CD and check the time of each activity shown above.

Voici Monsieur Duclos. Il travaille dans un bureau.

Il est très occupé. Il est toujours pressé.

Voici une journée typique dans sa vie.

Je suis pressé.

Monsieur Duclos est pressé

2.54 **Ecoute le CD. Complète l'heure pour chacune de ses activités.**

Monsieur Duclos is a very busy man!
Listen to an account of a typical day in his life.
Fill in the time of each action.

`7:00`

1. Je fais ma toilette.

`7:30`

2. Je prends mon petit déjeuner.

3. Je mets mon manteau.

`8:05`

4. Je quitte la maison.

5. Je choisis un journal.

`8:20`

6. Je prends le métro.

7. J'arrive au bureau.

`12:00`

8. Je téléphone à ma femme.

9. Je quitte le bureau.

10. Je mange un sandwich.

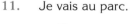

`1:45`

11. Je vais au parc.

`6:15`

12. Je rentre à la maison.

13. Je regarde la télévision.

14. Je vais à la piscine.

`11:45`

15. Je vais au lit.

Que fait Monsieur Duclos pendant la journée ?

Write an account of a day in the life of Monsieur Duclos.

Start with: **1. Il fait sa toilette à ...**

Remember!

1. You will have to change **Je** to **Il**.
2. Change each verb from the **first** to the **third person singular**.
3. Change the possessive adjective in numbers 1, 2, 3 and 8.

N'oublie pas !
mon → son
ma → sa

Les verbes pronominaux
Reflexive verbs

A reflexive verb has se (or s') in front of the infinitive.

A reflexive verb indicates that the action is done to oneself, e.g. I wash myself.

There are a few reflexive verbs which are very commonly used in French.
They are shown on the right.
All are regular –ER verbs.

Study the following two verbs carefully.

se réveiller	to wake up
se lever	to get up
se laver	to wash oneself
s'habiller	to dress oneself
se raser	to shave
se reposer	to rest
se dépêcher	to hurry
se coucher	to go to bed

1. SE LAVER

Je	me	lave	➜ I wash myself
Tu	te	laves	➜ You wash yourself
Il	se	lave	➜ He washes himself
Elle			➜ She washes herself
Nous	nous	lavons	➜ We wash ourselves
Vous	vous	lavez	➜ You wash yourselves
Ils Elles	se	lavent	➜ They wash themselves

Most verbs follow this pattern.

2. S'HABILLER

Je	m'	habille	➜ I dress myself
Tu	t'	habilles	➜ You dress yourself
Il	s'	habille	➜ He dresses himself
Elle			➜ She dresses herself
Nous	nous	habillons	➜ We dress ourselves
Vous	vous	habillez	➜ You dress yourselves
Ils Elles	s'	habillent	➜ They dress themselves

Verbs beginning with a vowel or silent 'h' follow this pattern.

Deux verbes pronominaux

2.55 Ecoute ces deux verbes pronominaux.

Pendant les pauses, chaque élève répète les verbes.

A negative verb is treated like this:

Je	ne	me	couche	pas
Tu	ne	te	couches	pas
Il	ne se		couche	pas
Elle				pas
Nous	ne	nous	couchons	pas
Vous	ne	vous	couchez	pas
Ils Elles	ne se		couchent	pas

Je me couche.

Je ne me lave pas.

Je me repose.

Exercices

1. Se reposer
Ecris ce verbe pronominal au présent.

SE REPOSER	
FORME AFFIRMATIVE	**FORME NÉGATIVE**
Je ___me repose___	Je ___ne me repose pas___
Tu _____	Tu _____
Il _____	Il _____
Elle _____	Elle _____
Nous _____	Nous _____
Vous _____	Vous _____
Ils _____	Ils _____
Elles _____	Elles _____

2. Des verbes pronominaux
Complète les phrases suivantes. Utilise des verbes pronominaux.
Write sentences using reflexive verbs.

1.

Je ___me réveille à 7h.___
se réveiller

2.

Elle _____.
se laver

3.

Il ne _____ pas !
se raser

4.

Nous _____.
s'habiller

5.

Est-ce que vous _____ ?
se reposer

6.

Elles _____.
se coucher

3. Des questions
Réponds à ces questions dans ton cahier.
Answer these questions in your copybook.

1. A quelle heure est-ce que tu te réveilles le matin ?
2. Est-ce que tu te laves dans la salle de bains ?
3. Où est-ce que tu t'habilles ?
4. Tu te couches à quelle heure le soir ?

1. Quelle heure est-il ?

Regarde les horloges et dis l'heure.

1. 2. 3.  4.  5.  6.

2. Où va-t-on ?

Réponds aux questions.

1. Où va-t-il ?

Exemple : 1. Il va au restaurant.

1.  2. 3.  4.

2. Où va-t-elle ?

Exemple : 1. Elle va à l'école.

1.  2. 3. 4.

1. Lis les quatre paragraphes.

1. A midi, **Cédric** a faim. Il se dépêche pour arriver à la cantine.
2. **Céline et Mélissa** vont en ville aujourd'hui. Elles achètent des vêtements dans les grands magasins.
3. A 17h, **Marc** prend le car. Il rentre à la maison après l'école. C'est une longue journée. Marc est fatigué !
4. Le mercredi à 18h, **Paul** va au bowling avec ses copains. Ils discutent, ils jouent et ils s'amusent bien.

Compréhension

Write down the name(s) of the person/people who is/are...

		name(s)			name(s)
1.	in a hurry		4.	buying clothes.	
2.	tired		5.	hungry	
3.	having fun		6.	chatting with friends.	

1. Verbe irrégulier : ALLER

Complète les blancs avec la forme correcte du verbe aller.

1. Je _____ à la banque.
2. Il _____ à la gare.
3. Nous _____ au restaurant.
4. Tu _____ à l'école.
5. Vous _____ à l'hôpital.
6. Elle _____ à la piscine.
7. Ils _____ à la plage.
8. On _____ au cinéma

2. Où vont-ils ?

Complète avec à, au, à la, à l' ou aux.

1. Anne va _____ cinéma.
2. Jean va _____ marché.
3. Cécile va _____ Paris.
4. Paul et Julie vont _____ plage.
5. Luc va _____ toilettes.
6. Mon père va _____ restaurant.
7. Ma mère va _____ église.
8. Mes neveux vont _____ piscine.

3. La journée de Sophie

Look at this pictorial account of Sophie's day.

1.
2.
3.
4.

Ecris des réponses aux questions.

1. A quelle heure est-ce qu'elle se lève ?
   Elle se lève à _____
2. A quelle heure est-ce qu'elle va au collège ?
   _____
3. A quelle heure est-ce qu'elle va à la cantine ?
   _____
4. A quelle heure est-ce qu'elle quitte l'école ?
   _____

4. Eric écrit un mél

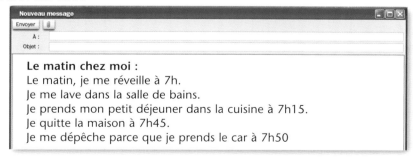

Le matin chez moi :
Le matin, je me réveille à 7h.
Je me lave dans la salle de bains.
Je prends mon petit déjeuner dans la cuisine à 7h15.
Je quitte la maison à 7h45.
Je me dépêche parce que je prends le car à 7h50

Et toi, qu'est-ce que tu fais le matin ?
Ecris un mél. Utilise le mél d'Eric comme modèle.
Using Eric's email as a model, describe your early morning routine before you leave for school.

Test

C'est le moment de vérifier tes connaissances du Chapitre 10 !

Test 10

1. Quelle heure est-il ?

Il est _____   Il est _____   **4**

Il est _____   Il est _____

2. L'article défini

Complète les blancs avec l'article défini (le, la, l' ou les).

1. _____ marché   3. _____ restaurants

2. _____ piscine   4. _____ hôpital   **4**

3. Verbe irrégulier : ALLER
Complète les phrases avec la forme correcte du verbe aller.
Write the correct part of the verb aller in the blank.

1. Je _____ à Cannes.   3. Nous _____ à Bordeaux.

2. Elle _____ à Toulon.   4. Elles _____ à Calais.   **4**

4. Où vont-ils ?
Complète les phrases avec à, au, à la, à l' ou aux.

1. Paul va _____ banque.   3. Nicole va _____ école.

2. Anne va _____ restaurant.   4. Luc va _____ Nice.   **4**

5. Cloze-test
La journée de Marc
Ecris le bon mot dans chaque phrase.
Write the correct word in each sentence in this account of Marc's day.

1. Marc se réveille _____ huit heures du matin.

2. Il arrive à l'école à neuf _____.   **4**

3. Le soir, à la maison, il _____ un film à la télé.

4. Marc _____ couche à dix heures du soir.

Total **20**

Le test est noté sur 20.

Chapitre 10 : résumé

1. Vocabulaire

1. L'heure

1. une heure   cinq
2. deux heures   dix
3. trois heures   et quart
4. quatre heures vingt
5. cinq heures   vingt-cinq
6. six heures   et demie

12. midi/minuit
11. onze heures   moins cinq
10. dix heures   moins dix
9. neuf heures   moins le quart
8. huit heures   moins vingt
7. sept heures   moins vingt-cinq

2. En ville

le cinéma	la banque	l'école (f)	les magasins
le magasin	la bibliothèque	l'église (f)	les toilettes
le marché	la gare	l'hôpital (m)	
le parc	la piscine		
le restaurant	la plage		

Il est cinq heures du matin !

2. Grammaire

1. La préposition à + l'article défini (le, la, l' ou les)

	1. City/Town	2. Masc. sing. place	3. Fem. sing. place	4. Place starting with a vowel	5. Plural places
Je vais	à	au	à la	à l'	aux
exemple	à Nice	au cinéma	à la banque	à l'hôtel	aux toilettes

2. Verbe irrégulier : ALLER

ALLER	
Je	vais
Tu	vas
Il	va
Elle	va
Nous	allons
Vous	allez
Ils	vont
Elles	vont

3. Verbe pronominal : SE LAVER

SE LAVER		
Je	me	lave
Tu	te	laves
Il	se	lave
Elle	se	lave
Nous	nous	lavons
Vous	vous	lavez
Ils	se	lavent
Elles	se	lavent

In this chapter, you will ...

- study weather terms
- say what the weather is like
- look at weather in the French regions
- name the seasons in French
- look at French feast days
- talk about your birthday

In grammar, you will ...

- learn two irregular verbs:
  sortir (to go out) and **partir** (to leave)

11

Quel temps fait-il ?

En vacances en été,
il y a du soleil à la mer.
Il fait chaud.
On nage dans la mer.

Dans les Alpes en hiver,
il y a de la neige.
Il fait froid.
On fait du ski.

Quel temps fait-il ?

To talk about the weather, you can use:

1. Il fait + adjective. **Exemple :** Il fait beau.

2. Il y a du/de la/des + noun. **Exemple :** Il y a du soleil.

3. A verb in the third person singular. **Exemple :** Il pleut.

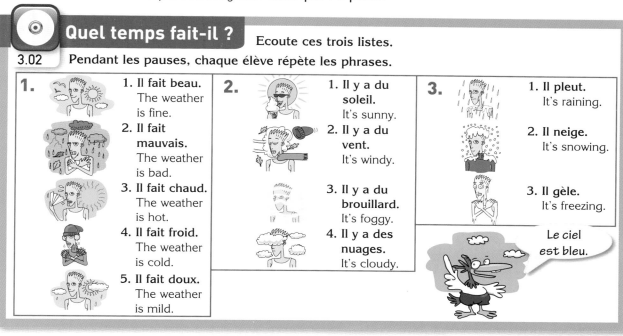

Quel temps fait-il ?

3.02

Ecoute ces trois listes.
Pendant les pauses, chaque élève répète les phrases.

1.
1. **Il fait beau.** The weather is fine.
2. **Il fait mauvais.** The weather is bad.
3. **Il fait chaud.** The weather is hot.
4. **Il fait froid.** The weather is cold.
5. **Il fait doux.** The weather is mild.

2.
1. **Il y a du soleil.** It's sunny.
2. **Il y a du vent.** It's windy.
3. **Il y a du brouillard.** It's foggy.
4. **Il y a des nuages.** It's cloudy.

3.
1. **Il pleut.** It's raining.
2. **Il neige.** It's snowing.
3. **Il gèle.** It's freezing.

Le ciel est bleu.

Note the use of the verb **'faire'** with the weather expressions in the first list above.

Il fait très chaud en France aujourd'hui.

Il fait beau.
Literally, one says: 'It makes fine (weather)'.

Le soleil means 'the sun'.
When you want to say 'It's sunny', you say:
Il y a du soleil.

The word **du** means 'some'.
It's made up by contracting **de + le** to **du**.
Revise this point on page 80.

N'oublie pas !
de+le du

Cannes

Bonjour ! Je m'appelle Robert et j'habite à Cannes, une ville située dans le Sud de la France.
En été, il fait très chaud et il ne pleut pas. En hiver, il fait doux et il y a du soleil.

Calais

Salut ! Je m'appelle Catherine et j'habite à Calais, une ville située dans le Nord de la France.
En été, il y a souvent des nuages et du brouillard. En hiver, il fait très froid et il pleut beaucoup.

Quel temps fait-il ?

Lis les questions à choix multiple. Ecris la bonne réponse (a, b, c ou d) dans la case.

1.

(a) Il fait mauvais.
(b) Il neige.
(c) Il fait chaud.
(d) Il y a du vent.

2.

(a) Il gèle.
(b) Il y a du brouillard.
(c) Il pleut.
(d) Il y a des nuages.

3.

(a) Le ciel est bleu.
(b) Il y a du soleil.
(c) Il fait beau.
(d) Il fait froid.

4.

(a) Il neige.
(b) Il fait chaud.
(c) Il y a des nuages.
(d) Il y a du brouillard.

Quel temps fait-il en France aujourd'hui ?

3.03 **Ecoute le CD. Mets les dessins dans l'ordre du CD.**
Place these weather sketches in the order that you will hear them on the CD.
Write a number in each circle. The first one has been done for you.

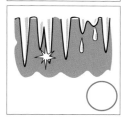

Travail oral à deux
– Quel temps fait-il en Irlande aujourd'hui ?
Un(e) élève pose la question. Un(e) autre élève donne la réponse. Utilise au minimum deux phrases dans la réponse.
Work in pairs: one student asks the question and another student replies. Use a minimum of two weather expressions in the answer.

Devoirs

1. Quel temps fait-il ?

Ecris une phrase pour décrire le temps qu'il fait.
Write a sentence which describes the weather in each of these sketches.

1. Il fait froid.

2. Il fait beau.

3. _____

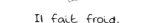

4. _____

5. Il gèle.

6. _____

2. Le temps

Complète les phrases suivantes.
Write the missing word in each of these weather sentences.

1. Il fait beau et _____ fait chaud.
2. Il neige _____ il gèle.
3. Il y _____ du vent.
4. Il y a _____ soleil.
5. Il y a _____ nuages.
6. Attention sur la route ! Il y a du _____.
7. Il fait beau. Le ciel _____ bleu.
8. Il pleut. _____ fait mauvais ce soir.

3. Qu'est-ce qu'on porte ?

Complète chaque phrase. Choisis le bon vêtement dans le tableau.
Choose from the box the suitable item of clothing to match the weather.

un manteau
des lunettes de soleil
un tee-shirt ✔
des gants
un maillot de bains

1. Il fait chaud. Le petit garçon porte __un tee-shirt__.
2. Il fait froid. La femme met _____.
3. Il fait froid et il gèle. La vieille femme porte _____.
4. Il y a du soleil. Hélène porte _____.
5. Il fait très chaud à la plage. Le petit enfant met _____.

4. Des questions et des réponses

Ecris la réponse à chaque question.
Using a weather expression, finish the answer to each question.

1. Est-ce qu'il fait mauvais ? — Oui, __il fait mauvais.__
2. Est-ce qu'il fait chaud ? — Non, il ne __fait pas chaud.__
3. Est-ce qu'il y a du soleil ? — Oui, _____
4. Est-ce qu'il gèle ce soir ? — Non, il ne _____
5. Est-ce que le ciel est bleu ? — Non, le ciel n'_____
6. Est-ce qu'il pleut en Irlande ? — Oui, _____
7. Est-ce qu'il fait beau ? — Non, au contraire, __il fait froid.__
8. Est-ce qu'il fait froid ? — Non, au contraire, _____

Le temps en France

France is a large country – so weather conditions can vary quite a lot.

 Le temps en France Ecoute le CD.

3.04

1. Dans le Nord de la France, il pleut beaucoup. Les paysages sont verts.

2. On skie beaucoup dans les Alpes en hiver. Il y a beaucoup de neige sur les pistes.

3. Dans le Sud de la France, on cultive des vignes pour avoir du raisin. Avec le raisin, on fait du vin.

4. Beaucoup de maisons ont des volets. Il fait très chaud en été. Les volets conservent la fraîcheur dans les maisons.

5. Il y a beaucoup de torrents dans les Pyrénées. Les jeunes font du rafting dans les torrents.

6. Il fait beau et très chaud sur la Côte d'Azur en été. Les Français aiment bronzer sur la plage.

7. En Normandie et en Bretagne, il fait doux en hiver. Le temps est similaire au temps en Irlande.

8. Il fait beau et chaud. Les Français aiment prendre un café sur une terrasse au soleil.

9. Il fait beau. Dans chaque ville, il y a un marché en plein air. Les gens achètent des fruits et des légumes.

10. En été, en France, il fait beau. On organise des festivals dans les rues, par exemple, des festivals de musique.

11. Dans le Sud de la France, certains Français aiment jouer à la pétanque. C'est un jeu idéal quand il fait chaud.

Compréhension
Dans ton cahier, écris des réponses aux questions suivantes.

In your copybook, answer the following questions in English.

1. What is the weather like in the North of France?
2. In which part of France do you mostly find vineyards?
3. Why do French houses have shutters on the windows?
4. Which group goes water rafting?
5. Which two French regions have weather similar to that in Ireland?
6. What do French people buy in the open-air market?
7. Name two things French people like to do when it is sunny?
8. What is the ideal game for warm weather?

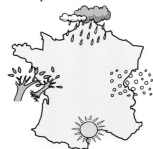

La météo

La météo is 'the weather forecast'. On prévoit means 'one forecasts'.
On is a pronoun which is followed by the 3rd person singular of the verb – like il and elle.

On prévoit…

1. … du soleil.

2. … de la pluie.

3. … de la neige.

4. … du brouillard.

5. … des nuages.

6. … des vents forts.

Prévisions météorologiques sur les villes de France, les plages, la montagne, la mer : www.météo.fr

La météo en France

3.05 **Ecoute le CD. Relie chaque ville avec le temps qu'on prévoit.**
Listen to today's weather forecast.
Link each town with the weather forecast for it.

1. A Rennes, en Bretagne, on prévoit
2. A Calais, dans le Nord, on prévoit
3. A Dijon, dans le Centre, on prévoit
4. A Nice, dans le Sud, on prévoit
5. A Chamonix, dans les Alpes, on prévoit
6. A Brest, sur la Côte Atlantique, on prévoit

- des nuages.
- de la pluie.
- de la neige.
- des vents forts.
- du brouillard.
- du soleil.

Voici la météo

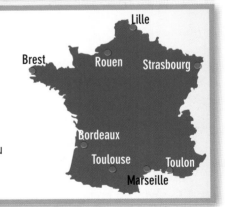

1. Voici la météo en ce moment dans le Nord de la France. Il pleut à **Brest** et il y a du vent. A **Rouen**, il y a des nuages et il fait 12°. Il fait beau mais il gèle à **Lille**. A **Strasbourg**, le ciel est bleu et il y a du vent. Il fait 15°.

2. Dans le Sud de la France, à Bordeaux, il fait 17° et il y a du soleil. A Toulouse, il y a du brouillard. Le ciel est bleu à Toulon. Il fait 20°. Il fait chaud pour la saison. A Marseille, il y a du soleil mais il y a aussi des nuages.

 Compréhension **Lis la météo pour les huit villes françaises.**
Read the weather forecast for the eight French towns.
Then, in your copybook, write down the names of the towns and describe the weather forecast for each one.

Le temps dans les îles françaises

Complète la description des îles françaises avec le verbe, le nom ou l'adjectif qui manque.
Fill in the missing word (a verb, noun or adjective) in these weather descriptions of three French islands.

La Corse

1. **La Corse** est une île au sud de la France.
    En Corse, il fait souvent beau et _____.

    Il y a beaucoup de _____.

    Il ne _____ pas souvent en hiver.

2. **La Martinique** est une île française dans l'Archipel des Antilles, dans la mer des Caraïbes.

    En hiver, il _____ beaucoup.

    Il y a du _____.

    Il y _____ du brouillard.

    La Martinique

3. **La Réunion** est une île française à l'est de l'Afrique, dans l'océan Indien.

    En été, le ciel _____ bleu.

    En hiver, il _____ mauvais.

    Il fait _____.

La Réunion

Deux verbes irréguliers

Sortir et partir **sont des verbes importants. Ils sont irréguliers.**

Sortir (to go out) and **partir** (to leave) are important verbs.

Both are irregular as they do not follow the pattern of regular –IR verbs.

Je sors quand il fait beau.

1.

SORTIR	
Je	sors
Tu	sors
Il	
Elle }	sort
Nous	sortons
Vous	sortez
Ils	
Elles }	sortent

Je pars en vacances. Il fait chaud.

2.

PARTIR	
Je	pars
Tu	pars
Il	
Elle }	part
Nous	partons
Vous	partez
Ils	
Elles }	partent

 Sortir et partir

3.06 **Ecoute les verbes** sortir **et** partir. **Pendant les pauses, chaque élève repetè les verbes.**

L'après-midi, mon grand-père **sort** pour faire une promenade.

Il fait très chaud. **Nous partons** pour St.-Tropez en voiture.

Sortir et partir **Complète les phrases avec les verbes à la forme correcte.**

Write the correct parts of the two verbs in the blanks.

The verb to choose is indicated by its first letter.

Sortez ou j'appelle la police !

1. Victor ___sort___ tous les soirs. Sa mère n'est pas contente !
2. Pierre et Virginie p_____ en Irlande pour leurs vacances.
3. Je suis architecte. Je p_____ travailler en ville.
4. Vous s_____ de la classe quand le cours se termine.
5. Il p_____ faire du vélo avec son copain, André.
6. Les filles s_____ avec leurs copines.
7. Nathan et moi, nous p_____ faire du golf ce soir.
8. Est-ce que tu s_____ demain soir ?
9. Il est minuit. Quand p_____-vous ?
10. S_____ ou j'appelle la police !

Les quatre saisons

Il y a quatre saisons dans l'année:

1.

2.

3.

4.

le printemps   l'été   l'automne   l'hiver

All seasons are masculine in French.

au printemps	in spring
en été	in summer
en automne	in autumn
en hiver	in winter

> Note that you say **au printemps** – but you use **en** with the other three seasons.

 Les saisons

Lis la description des quatre saisons.

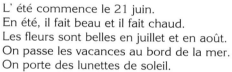

1. **Le printemps**
   Le printemps en France commence le 21 mars.
   Au printemps, le soleil brille et le ciel est bleu.
   Il fait beau.
   Au mois d'avril, les oiseaux font leurs nids.
   On travaille dans le jardin en avril et en mai.

2. **L'été**
   L' été commence le 21 juin.
   En été, il fait beau et il fait chaud.
   Les fleurs sont belles en juillet et en août.
   On passe les vacances au bord de la mer.
   On porte des lunettes de soleil.

3. **L'automne**
   L'automne commence le 23 septembre.
   En automne, le ciel est souvent gris.
   Les élèves rentrent à l'école en septembre.
   Il pleut en octobre et en novembre.
   Il y a du vent et les feuilles tombent.

4. **L'hiver**
   L'hiver commence le 21 décembre.
   En hiver, il fait froid.
   En janvier et en février, il neige.
   Dans les montagnes, les pistes sont couvertes de neige.
   On fait du ski. C'est formidable !

 Compréhension

Lis encore le texte. Complète le tableau.
Read again the account of the four seasons. Fill in the details in the table.

		Date of 1st day of season	Weather details	Activity/Activities
1.	Spring			
2.	Summer			
3.	Autumn			
4.	Winter			

Les mois

It is important to know the months of the year. You may, for example, want to tell someone the date of your birthday.

Also, when writing a letter, you will have to write the date at the top right-hand corner of the page.

You have already studied the months and days on page 14. Revise them now.

Les mois	
1.	janvier
2.	février
3.	mars
4.	avril
5.	mai
6.	juin
7.	juillet
8.	août
9.	septembre
10.	octobre
11.	novembre
12.	décembre

N'oublie pas !
Les mois et
les jours.

1. Months
   Learn the months off by heart. Note that **months do not start with a capital letter in French**.

2. Dates
   ⊙ If you want to say the first of any month, you say le premier + the month.
   e.g. le premier avril.
   ⊙ For all other dates, you say **le + the number + the month**, e.g. **le 20 juillet**.

Travail oral

A tour de rôle, chaque élève dit les mois ... et les jours !

Les jours	
1.	lundi
2.	mardi
3.	mercredi
4.	jeudi
5.	vendredi
6.	samedi
7.	dimanche

Les dates

Ecris les dates en entier comme pour commencer une lettre.

Write these numbers as you would write dates when starting to write a letter.

Exemple : 27/6 → le 27 juin

1. 12/4 → _____
2. 18/9 → _____
3. 25/12 → _____
4. 1/3   → _____
5. 14/1 → _____

Quelle est la date aujourd'hui ?

Aujourd'hui c'est jeudi, le 6 juin.

Quelle est la date ?

Ecoute le CD. Ecris les dates.

3.07

jeudi	lundi	samedi	vendredi	5.	6.	7.	8.
6		**13**					
juin	avril		octobre	mardi	dimanche	mercredi	mardi
1.	**2.**	**3.**	**4.**	**20**		**25**	
					janvier		

Mon jour favori

3.08

Quatre jeunes Français parlent de leur jour favori.

Ecoute le CD. Complète les conversations.

Raymond

1. « Je m'appelle Raymond.
J'aime le _____ juillet.
On est en vacances et c'est la fête nationale.
Il fait _____.
Il y a beaucoup d'animations dans les
_____ . »

Rachida

2. « Je m'appelle Rachida.
Moi, je préfère le 13 _____.
C'est mon anniversaire.
Je fais la fête avec mes copains.
Ma _____ prépare mon gâteau préféré.
Ce gâteau est délicieux !
Je suis très _____ . »

Léa

3. « Salut ! Je m'appelle Léa.
J'adore le 25 _____ .
On se retrouve en famille.
J'aime voir mes cousins et mes cousines, mes
oncles et mes tantes.
Je vois aussi mes _____ .
On mange beaucoup et on s'amuse _____ . »

Marc

4. « Bonjour. Je m'appelle Marc.
J'aime le _____ août.
C'est le premier jour des vacances pour ma
_____ .
On part toujours en vacances.
On va à la mer.
J'adore jouer sur la _____ . »

Compréhension

**Lis encore les conversations des quatre jeunes Francais.
Réponds aux questions en anglais dans ton cahier.**

Answer these questions in English in your copybook.

1. Who gets to eat their favourite cake? On what occasion?
2. Who refers to nice weather? When is this?
3. Who talks about holidays at the seaside? When do they go?
4. Who likes to meet their relations? When does this happen?

Travail oral

– Quel est ton jour favori ?

Dis à ton voisin/ta voisine de classe la date de ton jour favori.

L'année en France

1. janvier **1ᵉʳ**

C'est le premier janvier en France.
C'est le jour de l'An.
Tout le monde dit « Bonne année ! »
Dans chaque famille on fête « le réveillon ».

Bonne année !

2. mai **1ᵉʳ**

C'est le premier mai.
C'est la fête du Travail.
On ne travaille pas.
Les gens donnent un brin de muguet à leurs amis.

3. mai **8**

C'est le huit mai.
On fête la libération de la France à la fin de la
deuxième guerre mondiale.
C'est un jour de vacances pour tout le monde.
On ne travaille pas.

4. juillet **14**

C'est le quatorze juillet.
C'est la fête nationale en France.
C'est un jour de vacances.
Tout le monde est très content.
Le soir, on sort voir le feu d'artifice.

5. novembre **1ᵉʳ**

C'est le premier novembre.
C'est le jour de la Toussaint.
C'est un jour triste.
On porte des fleurs sur les tombes
des personnes mortes.

6. décembre **25**

C'est le vingt-cinq décembre.
C'est le jour de Noël.
Les petits enfants sonts contents.
Ils jouent avec leurs cadeaux.

Joyeux Noël !

 Compréhension **Lis le texte. Réponds aux questions.**

1. On which two dates are we told people do not work?
2. Which two days involve flowers?
3. Which is a sad day? Why?
4. Which two dates are not celebrated in Ireland? Why not?
5. On which day do people go to see fireworks?

Ton anniversaire

C'est quand ton anniversaire ?

Mon anniversaire est le 16 mars.

C'est quand ton anniversaire ?

Mon anniversaire est le 2 juin.

Travail oral à deux C'est quand ton anniversaire ?

Chaque élève dans la classe donne la date de son anniversaire.

Voilà Claire !
Elle a un anniversaire et une fête !

3.09

Ecoute Claire. Elle parle de son anniversaire et de sa fête.

« Salut ! Je m'appelle Claire.

Mon anniversaire est le 6 mai.

Le jour de mon anniversaire, mes copains disent *Bon anniversaire !*

Mais j'ai aussi une fête !

En France, la fête de toutes les filles qui s'appellent Claire est le 11 août.

Mes copains et mes parents disent *Bonne fête !* »

Mon anniversaire est le 6 mai.
Ma fête est le 11 août.

Claire

– Justin, quel est le jour de ton anniversaire ?
– C'est le 4 février.
– Et le jour de ta fête ?
– C'est le 1er juin.

Justin

Les anniversaires et les fêtes

3.10 Ecoute les dialogues. Complète le tableau.

J'ai un anniversaire... mais je n'ai pas de fête !

	Prénom	Anniversaire	Fête
1.	Justin	4 février	1er juin
2.	Denise	13 décembre	
3.	Vincent		22 janvier
4.	Valérie	10 octobre	
5.	Paul		29 juin
6.	Lydie	11 janvier	
7.	Olivier		12 juillet
8.	Claire		

Damien fête son anniversaire

Ecoute le CD.

3.11   **Damien parle de son anniversaire.**

1. « Salut ! Je m'appelle Damien.
J'ai 17 ans. Mon anniversaire est le 20 octobre.
Alors, je fête mon anniversaire en automne.
Cette année, je fête mon anniversaire dans une école de surf à Biarritz.
Je passe une semaine ici.

Damien

Biarritz, la capitale du surf

2. La côte basque de l'océan Atlantique est un paradis pour le surf.
Biarritz, dans le Sud-Ouest de la France, est la capitale du surf en France.
Des surfeurs de toute l'Europe surfent ici.
Ils adorent glisser sur les vagues !

3. Aujourd'hui, c'est mon anniversaire.
C'est le 20 octobre.
Comme c'est l'automne, il y a du vent sur la côte Atlantique.
Les vents sont forts. Les vagues sont énormes.
C'est idéal pour le surf !

On fait du surf !

Damien fait du surf !

4. J'adore le surf !
Le matin, je prends des leçons. Je fais deux heures de surf avec une monitrice.
La monitrice s'appelle Charlotte.
Elle est sportive. Elle est très patiente. Elle surfe bien.
Charlotte est une très bonne monitrice.
Je glisse sur les vagues. Je suis très content ! »

Compréhension

Dans ton cahier, écris des réponses aux questions en anglais.

1. How long is Damien spending in the surfing school?
2. Where in France is Biarritz?
3. From where do people come to surf in Biarritz?
4. Why is Damien's birthday ideal for surfing?
5. Who is Charlotte?
6. What does Damien say about Charlotte?
7. At the end, why does Damien say that he is happy?

Chico écrit une lettre de vacances

Chico est en vacances.

Il écrit une lettre de vacances à Clare Morris.

Elle habite dans le Mayo en Irlande.

Deauville, le 7 juillet

Chère Clare,

Je suis en vacances à Deauville pour deux semaines. Je suis ici avec mon père, ma mère et ma sœur.

Je suis très content. Je m'amuse sur la plage. Je nage dans l'eau et je fais du surf. C'est super !

Il fait beau et très chaud tous les jours. Mais, ce week-end, on prévoit de la pluie. Dommage !

Est-ce qu'il pleut beaucoup en Irlande ? Est-ce qu'il fait froid en hiver ?

Demain, il y a un festival de vieilles voitures en ville. Mon père et moi, nous sommes très contents !

Et toi, est-ce que tu pars en vacances cet été ? Est-ce que tu passes tes vacances au bord de la mer ?

Quel temps fait-il en Irlande en ce moment ?

Ecris-moi bientôt !

Amitiés,

Chico

Fiche de vacances Lis la lettre de Chico.

Complète la fiche de vacances.

Fill in the details about Chico's holiday on this form.

Durée des vacances :	deux semaines
Personnes de la famille en vacances :	
Météo :	
Activités :	
Goûts de Chico :	la mer, le surf, les voitures

Une lettre Ecris une lettre à Chico !

Raconte tes vacances.

Utilise la fiche de vacances pour te donner des idées.

Write a letter about your holidays to Chico! He would love to hear from you as well as from Clare Morris. Use the form above to give you ideas. Answer any questions that Chico asks in his letter.

Les Aventures de Thomas

Salut! Je m'appelle Thomas. J'ai vingt ans. Mon anniversaire est le premier avril.

L'été est ma saison préférée. Quand il fait beau, je sors de chez moi. Je vais à la plage avec ma petite amie, Anne. Elle est belle !

En automne, il fait mauvais. Il pleut souvent et il y a du vent. Mais je ne reste pas à la maison le week-end. Je vais à la campagne. Ma voiture est vieille mais elle est formidable !

Je n'aime pas l'hiver. Il fait froid et il gèle. En hiver, il neige. Quand il neige, je fais du ski.

Il fait froid.

J'ai froid !

Au secours !

Au printemps, il fait souvent beau. Il y a du soleil. Le ciel est bleu et les oiseaux chantent dans les arbres. Anne et moi, nous sortons et nous faisons un pique-nique.

Ce pique-nique est super !

J'aime ma petite amie.

Note that you use **faire** when you want to say that the **weather** is warm or cold:

Il fait chaud.

Il fait froid.

But you use **avoir** when you want to say that a **person** is warm or cold:

J'ai chaud.

J'ai froid.

Compréhension

Vrai ou faux ? Coche (✓) la bonne case.

Read these statements. Tick the correct box.

		Vrai	Faux
1.	Thomas reste à la maison en été.		✓
2.	Sa petite amie s'appelle Anne.		
3.	En automne, il ne fait pas beau. Il pleut.		
4.	En automne, Thomas et Anne vont à la campagne en vélo.		
5.	Thomas aime beaucoup l'hiver.		
6.	Anne a chaud en hiver.		
7.	Au printemps, le soleil brille et il fait beau.		
8.	Anne et Thomas font un pique-nique dans le jardin.		

1. Quel temps fait-il ?

A tour de rôle, chaque élève indique le temps qu'il fait sur chaque image.

Exemple : *1. « Il pleut. »*

Say aloud the weather that is indicated by each of these illustrations

   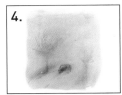

   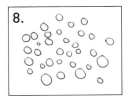

1. Lis les questions et les réponses. Relie les points noirs.

Quel temps fait-il ? •	• Oui, il y a du soleil.
Est-ce qu'il fait froid ? •	• Je pars en vacances.
Tu as chaud ? •	• Oui, il fait très froid.
Où vas-tu ? •	• C'est le 2 mars.
Tu as froid ? •	• Il fait très chaud.
Est-ce qu'il fait beau ? •	• Oui, j'ai chaud.
C'est quand ton anniversaire ? •	• Oui, j'ai froid.

2. Le temps est fou !

Lis les prévisions météorologiques et complète le tableau.

1.	Nous sommes au mois de juillet. Les Français sont en vacances. Dans le Sud de la France, on prévoit des pluies abondantes pendant trois jours. Quel dommage !
2.	On est au mois de janvier, en plein hiver. Il fait chaud pour la saison, en particulier dans les Pyrénées. Il n'y a pas assez de neige pour les skieurs.
3.	Nous avons un mois de mars exceptionel dans le Nord-Est de la France. Le ciel est bleu. Il ne fait pas froid. Les gens nagent dans la mer !

Complète le tableau.

	Month	Area of France	Weather details	Good or bad news?
1.	July			
2.				
3.				

1. Replace les briques dans le mur.

Bricks have been stolen!
They are in the bag!
Can you replace them?

2. Verbes irréguliers

Fill in the correct form of the present tense of one of the verbs on the right.

1. Ils _____vont_____ au marché.
2. Elle _____a_____ chaud.
3. Il _____ froid aujourd'hui.
4. Le ciel _____ gris en automne.
5. En hiver, je _____ un manteau.
6. Est-ce qu'il _____ en vacances ?
7. Je _____ quand il fait beau.

avoir ✓
être
faire
porter
sortir
aller ✓
partir

1. Voici la météo ...

Ecoute les prévisions météorologiques.
Complète le tableau.

Listen to the weather forecast and fill in the details.

	Weather	Temperature
Paris	fine	
Strasbourg		5°
Normandy	rain	
Nice		20°
Bordeaux		

3.12

2. Je me présente...

Ecoute les portraits de quatre Français.
Complète le tableau.

3.13

	City	Pastime(s)	Age	Birthday
Stéphanie	Poitiers		23	
Richard		Sport e TV		30 Sept.
Mathieu	Toulouse		24	
Jeanne		Skiing		

225

Test

C'est le moment de vérifier tes connaissances du Chapitre 11 !

Test 11

1. Quel temps fait-il ?

1. Il fait _____

2. Il fait _____

3. Il y a du _____

4. Il y a du _____

[4]

2. La météo
On prévoit...

1. du _____

2. de la _____

3. des _____

4. des _____ forts

[4]

3. Les quatre saisons
Complète les phrases. Ecris le nom de la saison dans le blanc.
Write the name of the correct season in the blank.

1. En _____, il fait chaud. On part en vacances.

2. En _____, il y a du vent. Les feuilles tombent des arbres.

3. En _____, il neige dans les montagnes. On fait du ski.

4. Au _____, les oiseaux font leurs nids. On travaille dans le jardin.

4. Deux verbes irréguliers : partir et sortir
Complète les phrases avec la forme correcte du verbe entre parenthèses.
Write the correct part of the verb in brackets in the blank.

1. Tu _____ (partir) à quelle heure ?

2. Luc et Anne _____ (partir) à trois heures.

3. Guillaume _____ (sortir) tous les soirs à 8h.

4. Mon ami et moi, nous _____ (sortir) de l'école à 5h.

[4]

[4]

5. Chico est en vacances
Cloze-test : complète les phrases suivantes.
Write the correct word in the blank space.

Chico est en vacances _____ Deauville en France.

C'est l'été. Il fait beau et il _____ chaud.

Chico fait _____ surf tous les jours.

Il _____ très content.

[4]

Le test est noté sur 20.

Total [20]

Chapitre 11 : résumé

1. Vocabulaire

pense-bête
dictionnaire ✓
grammaire ✓

1. Le temps

1. Il fait beau.
   Il fait mauvais.
   Il fait chaud.
   Il fait froid.
   Il fait doux.

2. Il y a du soleil.
   Il y a du vent.
   Il y a du brouillard.
   Il y a des nuages.

3. Il pleut.
   Il neige.
   Il gèle.

2. La météo

On prévoit …

du soleil.
de la pluie.
de la neige.
du brouillard.
des nuages.
des vents forts.

Le nord

L'ouest   L'est

Le sud

3. Les saisons

le printemps	au printemps
l'été	en été
l'automne	en automne
l'hiver	en hiver

4. Les mois

1. janvier
2. février
3. mars
4. avril
5. mai
6. juin
7. juillet
8. août
9. septembre
10. octobre
11. novembre
12. décembre

5. Les jours

1. lundi
2. mardi
3. mercredi
4. jeudi
5. vendredi
6. samedi
7. dimanche

2. Grammaire

Deux verbes irréguliers : PARTIR et SORTIR

1.

PARTIR	
Je	pars
Tu	pars
Il	part
Elle	part
Nous	partons
Vous	partez
Ils	partent
Elles	partent

2.

SORTIR	
Je	sors
Tu	sors
Il	sort
Elle	sort
Nous	sortons
Vous	sortez
Ils	sortent
Elles	sortent

Je pars en vacances !

In this chapter, you will ...

- find out what the French like to have for breakfast
- order what you would like to eat and drink
- give your opinion on what you are having
- set the table in French
- learn the origin of the word 'marmalade'

In grammar, you will ...

- study the partitive article ('some'): **du, de la, de l', des**
- learn the irregular verb **boire** (to drink)
- study the third group of regular verbs (–RE verbs)

12

Le petit déjeuner

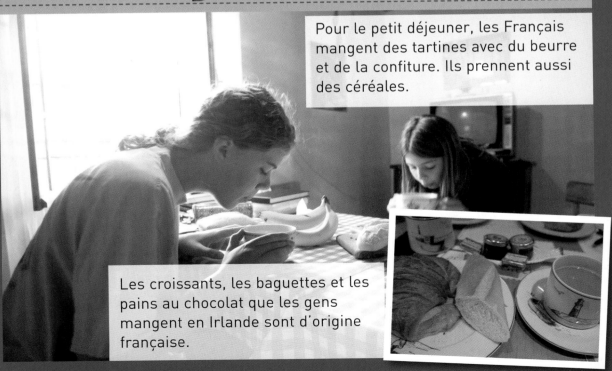

Pour le petit déjeuner, les Français mangent des tartines avec du beurre et de la confiture. Ils prennent aussi des céréales.

Les croissants, les baguettes et les pains au chocolat que les gens mangent en Irlande sont d'origine française.

Le petit déjeuner, c'est différent !

En France, à l'hôtel ou dans une famille française, le petit déjeuner est simple :
du pain, des croissants, du beurre, de la confiture, des céréales.

Comme boisson, on prend du café ou du chocolat chaud servi dans un bol.

Avec les repas, on voit bien les différences culturelles entre les pays. Par exemple, en Irlande, on boit le thé dans une tasse.
En France, pour le petit déjeuner, on boit le café dans un bol.

– Vous désirez ?

3.14

Il est huit heures du matin.

C'est l'heure du petit déjeuner à l'hôtel. Sophie, Pierre et Arnaud parlent avec le serveur. Ecoute le CD.

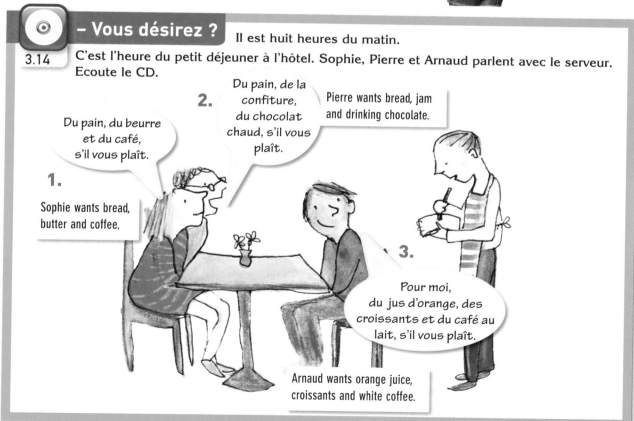

1. Du pain, du beurre et du café, s'il vous plaît.

Sophie wants bread, butter and coffee.

2. Du pain, de la confiture, du chocolat chaud, s'il vous plaît.

Pierre wants bread, jam and drinking chocolate.

3. Pour moi, du jus d'orange, des croissants et du café au lait, s'il vous plaît.

Arnaud wants orange juice, croissants and white coffee.

You will find the full range of what you can have for breakfast in France on the next page.

On prend le petit déjeuner

3.15 C'est le matin.

1. Le réveil sonne et on se réveille.
2. On se lève et on s'habille.
3. On entre dans la cuisine.

Pour le petit déjeuner, qu'est-ce qu'on va manger ?
Qu'est-ce qu'on va boire ?
Le choix est simple ... mais intéressant !

Ecoute le CD.

1. Pour manger, il y a ...

1.
du pain

2.
des croissants

3.
des tartines

4.
du beurre

5.
de la confiture

6.
des céréales

2. Pour boire, il y a ...

1.
du café

2.
du café au lait

3.
du thé

4.
du chocolat chaud

5.
du lait

6. du jus d'orange

du pain	bread	**de la confiture** jam	**du thé** tea
des croissants	croissants	**des céréales** cereals	**du chocolat chaud** drinking chocolate
des tartines	slices of bread	**du café** coffee	**du lait** milk
du beurre	butter	**du café au lait** white coffee	**du jus d'orange** orange juice

The words **du**, **de la** and **des** mean 'some'. This will be explained in more detail on page 232.

 ## Travail oral

1. Ecoute encore les deux listes.
Pendant les pauses, chaque élève répète le vocabulaire.
2. – Et toi, qu'est-ce que tu prends pour le petit déjeuner ?
Réponse :   – *Je mange ...*
              – *Je bois ...*
Chaque élève répond à la question !

Chico prend son petit déjeuner

3.16 **Ecoute le CD.**

Complète les phrases. Ecris les mots qui manquent.

Fill in the missing words in the sentences.

1. C'est lundi matin chez Chico.
   Le réveil sonne à sept heures moins ____________________.
   Chico se réveille. Il se lève et il s'habille.
   Il se lave dans la ____________________.
2. Quelques moments plus tard, Chico entre dans la cuisine.
   Il a faim. Il mange des ____________________ avec du ____________________
   et de la confiture. Les croissants sont délicieux !
   Chico a soif. Il boit du ____________________ et du ____________________.
3. Chico quitte la maison à sept heures et ____________________ pour aller à l'école.

Dans un restaurant en France

Le serveur/la serveuse prend les commandes des clients.

There are **two ways** in which you can order something for breakfast in a restaurant.

1.
– Du pain avec du beurre, s'il vous plaît.
– Oui, Madame. Et pour boire ?
– Du café, s'il vous plaît.

You can place your order in either of these two ways:

1. Say the name(s) of what you want and add **s'il vous plaît.**

OR

2. Use the question form: **Avez-vous ... ?** plus the name(s) of what you want.

2.
– Avez-vous des croissants avec du beurre et de la confiture ?
– Oui, Madame. Et pour boire ?
– Avez-vous du thé, s'il vous plaît ?
– Oui, Madame.

Dans un restaurant en France

3.17 **Six personnes parlent avec le serveur.**
Ecoute le CD. Complète le tableau.

Listen to six people ordering breakfast. Fill in the missing details in the grid.

	Food	Drink
1.		Coffee
2.	Bread + butter	
3.		Orange juice
4.	Slices of bread, butter & jam	
5.		
6.		

Travail oral

Faites des groupes de deux : il y a un serveur/une serveuse et un client/une cliente. Le serveur/la serveuse prend les commandes des clients !

L'article partitif

Il est sept heures et demie.

Eric est dans la cuisine.

Il prend le petit déjeuner.

Il mange du pain, du beurre, de la confiture et des céréales. Il boit du café.

The words du, de la and des all mean 'some'. In English, the word 'some' is known as the partitive article – but we rarely use it.

We say, for example: 'I drink tea'.

In French, they say: Je bois du thé (I drink some tea).

As the partitive article is always used in French, you must know how it is formed.

du pain

some bread

de la confiture

some jam

de l'eau

some water

des céréales

some cereals

Words for 'some'

The word for '**some**' depends on the gender and number of the noun which accompanies it.

	SINGULAR	PLURAL
Masculine	du	des
Feminine	de la	des
Before vowel or silent 'h'	de l'	des

1. Items which take du: masculine, **singular** nouns

   de + le = du

   du pain   du beurre   du sucre   du sel

2. Items which take de la: feminine, **singular** nouns.

   de la confiture   de la crème

3. Items which take de l': **singular** nouns which start with a vowel or silent 'h'.

   de l'eau   de l'huile

4. Items which take des: all **plural** nouns.

   de + les = des

   des croissants   des œufs   des frites   des céréales

Pour mon petit déjeuner, je mange du pain et du beurre. Je bois du lait.

Le matin, je ne mange pas de pain. Je ne prends pas de croissants. Je ne bois pas de café.

All these words (du, de la, de l' and des) become de in a negative sentence.

Devoirs

1. Complète les blancs avec l'article partitif (du, de la, de l' ou des).
Put the partitive article (du, de la, de l' or des) before the noun.

1. ___du___ beurre
2. _____ croissants
3. _____ confiture
4. _____ thé
5. _____ café
6. _____ céréales
7. _____ jus d'orange
8. _____ eau
9. _____ œufs
10. _____ huile
11. _____ chocolat chaud
12. _____ sel
13. _____ crème
14. _____ sucre
15. _____ frites

2. Remplace l'article défini par l'article partitif.
Change the definite article to the partitive article.

1. le lait → ___du___ lait
2. la farine → ___de la___ farine
3. les provisions → ___des___ provisions
4. l'eau → _____ eau
5. les allumettes → _____ allumettes
6. les œufs → _____ œufs
7. le vin → _____ vin
8. la tarte → _____ tarte
9. les gâteaux → _____ gâteaux
10. le fromage → _____ fromage

3. Complète les phrases avec l'article partitif.
Write the partitive article in the blank.

1. Des croissants et ___du___ café au lait, s'il vous plaît.
2. Est-ce que vous avez _____ thé et _____ croissants ?
3. Il prend le petit déjeuner. Il mange _____ pain et _____ beurre.
4. Je mets _____ confiture sur mon pain.
5. On met _____ crème sur la tarte. C'est délicieux !
6. Moi, j'ai faim. Je mange _____ céréales.
7. Quand on a faim, on mange _____ pain et _____ fromage.
8. Quand on a soif, on boit _____ jus d'orange ou _____ eau.

4. Ecris les phrases à la forme négative.

1. Je mange du pain. → _Je ne mange pas de pain._
2. Il prend des croissants. → _____
3. Elle prend du thé. → _____
4. Nous avons de l'eau. → _____
5. Ils prennent du chocolat chaud. → _____
6. Vous prenez de la confiture. → _____

N'oublie pas !

du
de la
de l'
des
} → de

**All these words become
de in a negative sentence.**

C'est bon !

> C'est très bon, le café.

French people like to express an opinion on what they are eating and drinking.

1.

> C'est bon !
> C'est très bon !
> C'est excellent !
> C'est délicieux !

2.

> Ce n'est pas bon !
> C'est mauvais !
> C'est très mauvais !

> Ce n'est pas bon, le thé.

Trois Francais donnent leur opinion

3.18 ... sur ce qu'ils aiment pour le petit déjeuner,

... et sur ce qu'ils n'aiment pas.

Ecoute le CD. Complète les phrases.

1. **Cyril :**
   « Le pain, c'est _____. La confiture, c'est _____.
   Mais le café, c'est très _____. »

2. **Maryse :**
   « Les croissants, c'est très _____. Le chocolat chaud, c'est _____.
   Les céréales, ce n'est pas bon. C'est _____. »

3. **Pierre :**
   « Le café, c'est _____. Le jus d'orange, c'est _____. Mais les œufs
   pour le petit déjeuner, c'est _____. »

Compréhension

Lis l'opinion de ces trois Français.

Utilise des émoticones (smileys) pour indiquer ce qu'ils aiment (☺) ou n'aiment pas (☹).

	Cyril	Maryse	Pierre
le pain	☺		
la confiture	☺		
le café	☹		
les croissants			
le chocolat chaud			
les céréales			
le jus d'orange			
les œufs			

> C'est délicieux ! Qu'est-ce que c'est ?

> C'est de la 'Marie malade'.

Mary Queen of Scots was ill. There were no antibiotics then! She had a French chef who prepared a concoction made from oranges.

The Queen took it... and she was cured.

The chef called it '**Marie malade**'!

We call it 'marmalade'.

The French must not know the story as they call it '**confiture d'oranges**'.

Deux verbes

Les Français aiment manger et boire.
Ils parlent beaucoup des repas.
Pour parler des repas, on a besoin de deux verbes : MANGER et BOIRE.

1. Manger est un verbe en –ER.
Manger (to eat) is a regular –ER verb, except in the 1st person plural where it is slightly irregular.

2. Boire est un verbe irrégulier.
Boire (to drink) is an irregular verb. Study it carefully.

MANGER	
Je	mange
Tu	manges
Il Elle }	mange
Nous	mangeons*
Vous	mangez
Ils Elles }	mangent

BOIRE	
Je	bois
Tu	bois
Il Elle }	boit
Nous	buvons
Vous	buvez
Ils Elles }	boivent

Moi, j'ai soif !
Je bois de l'eau.

*Notice the 'e' is included to keep the soft 'g' sound.

DES BOISSONS			
du café	coffee	**du chocolat chaud**	hot chocolate
du thé	tea	**du lait**	milk
de l'eau	water	**du vin**	wine
du jus de fruit	fruit juice	**de la bière**	beer

1. – Anne, qu'est-ce que tu manges pour le petit déjeuner ?
   – Je mange des céréales.

2. – Anne, qu'est-ce que tu bois pour le petit déjeuner ?
   – Je bois du thé.

3.19

Un sondage sur le petit déjeuner en France

Ecoute les résultats d'un sondage.

Listen to the results of a survey on what people eat and drink for their breakfast.
Fill in the missing percentages.

Ils mangent ...	
du pain	42%
des croissants	
du beurre	50%
de la confiture	
des céréales	

Ils boivent ...	
du café	53%
du lait	
du chocolat chaud	27%
de l'eau minérale	
du jus de fruit	

Le petit déjeuner des jeunes Français

3.20 **Ecoute les réponses de quatre adolescents.**

Listen to four young people answer the following questions:

– **Qu'est-ce que tu prends pour le petit déjeuner ?**

– **Et qu'est-ce que tu ne prends pas ?**

On pose ces questions à quatre adolescents.

Ils s'appellent Antoine, Claire, Marcel et Béatrice.

1.

Antoine

– D'habitude, je mange des croissants chauds. Je prends un bol de café. J'adore les croissants. Ils sont délicieux. Je ne mange pas de céréales. Je ne bois pas de lait.

2.

Claire

– Moi, je bois du chocolat chaud. Je ne bois pas de café. Je mange du pain avec du beurre. Je ne prends pas de confiture. Je n'aime pas la confiture.

3.

Marcel

– J'ai toujours faim au petit déjeuner. Je mange des céréales. Après, je prends du pain avec du beurre. Je ne prends pas de confiture. Je bois du café au lait. Je ne bois pas de jus de fruits.

4.

Béatrice

– Normalement, je prends des croissants et du beurre. Je ne prends pas de céréales. Je bois du jus d'orange dans un verre. Je ne bois pas de thé. Je n'aime pas le thé.

Compréhension

Relis les réponses des quatre adolescents. Complète le tableau.

Read again the replies of the four teenagers. Fill in the details in the grid.

	eats ...	drinks ...	does not eat ...	does not drink ...
Antoine	warm croissants	coffee	cereals	milk
Claire				
Marcel				
Béatrice				

Sylvain écrit une lettre.

Sylvain habite à Rouen en Normandie. Le petit déjeuner, c'est son repas préféré. Sylvain a un correspondant à Cork en Irlande. Ce correspondant s'appelle Lee. Sylvain écrit une lettre à Lee pour parler du petit déjeuner.

Rouen, le 3 mai

Cher Lee,

Comment vas-tu ? Moi, je vais bien. Aujourd'hui, dans cette lettre, je parle du petit déjeuner — mon repas favori !

Pendant la semaine, quand je vais à l'école, je mange des céréales. J'aime les céréales : c'est bon et c'est rapide. Je bois du café au lait dans un grand bol.

Le week-end, je mange des tartines avec du beurre et de la confiture. La confiture, c'est délicieux !

Mes parents mangent des croissants chauds. Ils adorent les croissants ! Ils boivent du café. Ma sœur ne boit pas de café. Elle boit du jus d'orange.

J'adore prendre le petit déjeuner le samedi et le dimanche. On parle beaucoup pendant le repas !

Et toi, qu'est-ce que tu prends pour le petit déjeuner ?

Y a-t-il des différences entre le petit déjeuner en Irlande et le petit déjeuner en France ?

Ecris-moi bientôt.

Ton correspondant,

Sylvain

Le petit déjeuner chez moi.
Je mange des céréales.
Papa mange un œuf à la coque.
Je bois du thé dans une tasse.
Maman boit du jus de fruits.
Je mange des tartines avec du beurre.
Mon frère mange du pain grillé.
On ne parle pas pendant le repas.
On regarde la télévision !

Lee

Une lettre

Ecris une lettre à Sylvain.

Write a letter to Sylvain to tell him about breakfast in your house.

Use Sylvain's letter, and the notes prepared by Lee, to guide you.

Exercices

1. Trois verbes
Ecris les verbes boire, prendre et manger au présent.
Write the verbs boire, prendre and manger in the present tense.

1. **BOIRE**
   Je _____bois_____
   Tu _____
   Il _____
   Elle _____
   Nous _____
   Vous _____
   Ils _____
   Elles _____

2. **PRENDRE**
   Je _____prends_____
   Tu _____
   Il _____
   Elle _____
   Nous _____
   Vous _____
   Ils _____
   Elles _____

3. **MANGER**
   Je _____mange_____
   Tu _____
   Il _____
   Elle _____
   Nous _____
   Vous _____
   Ils _____
   Elles _____

2. Les verbes au présent
Ecris le verbe entre parenthèses au présent.
Write the verb in brackets in the present tense.
Exemple : Il ___boit___ (boire) du lait.

1. La famille _____ (être) dans la cuisine.
2. Pierre _____ (manger) des céréales.
3. Nous _____ (prendre) de l'eau minérale.
4. Vous _____ (avoir) du chocolat chaud ?
5. Marie _____ (aimer) les croissants chauds.
6. Pierre et Sophie _____ (manger) des pains au chocolat.
7. Les parents _____ (prendre) le petit déjeuner avec leur fils.
8. Ces croissants _____ (être) délicieux !

3. Les adjectifs
Accorde l'adjectif avec le nom.
Make the adjective agree with the noun (masculine/feminine; singular/plural).

1. Le jus d'orange est _____.
   bon
2. La tarte est _____.
   délicieux
3. Les croissants sont _____.
   chaud
4. Le café est _____.
   mauvais
5. L'eau est _____.
   mauvais

Ces œufs sont bons !

Les Duclos prennent le petit déjeuner

3.21 **Ecoute le CD. Complète les blancs.**

1. Il est huit heures chez les Duclos. La famille est dans la _____.
C'est l'heure du petit déjeuner. Qu'est-ce qu'ils mangent ? Qu'est-ce qu'ils _____ ?

2. Le fils s'appelle André. Aujourd'hui, il a faim mais il n'a pas _____. Il prend _____ pain avec du beurre. Il boit du lait. Il ne boit pas _____ café.

Monique

Sophie

Alain

André

3. La fille s'appelle Sophie.
Elle a _____.
Elle mange des céréales et des croissants chauds.
Les croissants _____ délicieux !
Sophie boit _____ café.
Elle ne boit pas de thé.

4. Les parents s'appellent Monique et Alain. Comme d'habitude, ils prennent le petit déjeuner _____ la cuisine. Mais ils n'_____ pas faim. Alain mange du pain avec du _____. Monique mange des _____. Elle boit _____ café et son mari boit du _____.

 Travail oral **Réponds à haute voix à ces questions.**

1. Quelle heure est-il chez les Duclos ?
2. Qu'est-ce que le fils mange pour le petit déjeuner ?
3. Qu'est-ce qu'il boit ?
4. Qu'est-ce que la fille mange ?
5. Qu'est-ce qu'elle boit ?
6. Qu'est-ce que le père mange ?
7. Qu'est-ce qu'il boit ?
8. Qu'est-ce que la mère mange ?
9. Qu'est-ce qu'elle boit ?

Mots croisés

Fais les mots croisés.
1. Complète les phrases.
2. Les mots que tu trouves sont les solutions pour les mots croisés.

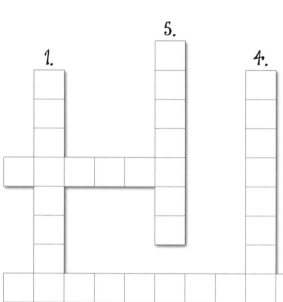

1. Voici encore Chico !
Il prend le petit _____ dans la cuisine.

2. Chico a faim. Il n'est pas gourmet. Il est gourmand ! Il mange du pain avec du _____ et de la confiture.

3. Il mange aussi des _____ chauds.
Ils sont délicieux ! Chico est très content.

4. Et voici les parents de Chico.
Ils _____ le petit déjeuner avec leur fils.

5. Ses parents n'ont pas faim.
Ils mangent du pain grillé et ils _____ du café au lait.

La vaisselle

On est chez les Duclos.

C'est l'heure du petit déjeuner.

Voici la famille à table.

Nous voyons le père, la mère,
le fils (André) et la fille (Sophie).

Qu'est-ce qu'il y a sur la table ?

Sur la table, il y a ...

1.	des couteaux	6.	des bols
2.	des fourchettes	7.	des cuillères
3.	des tasses	8.	des verres
4.	des soucoupes	9.	un pot
5.	des assiettes	10.	une cafetière

 Compréhension **Relie les points noirs.**

Join the dots to make correct sentences.

1. On boit du thé   • dans un verre.
2. On boit du jus d'orange •   • dans une tasse.
3. On mange des céréales •   • sur une assiette.
4. On mange du yaourt   •   • dans un bol.
5. On met le pain   •   • dans un pot.
6. On met le lait   •   • avec une cuillère.

LA VAISSELLE

un couteau	a knife
une fourchette	a fork
une tasse	a cup
une soucoupe	a saucer
une assiette	a plate
un bol	a bowl
une cuillère	a spoon
un verre	a glass
un pot	a jug
une cafetière	a coffee-pot

On achète de la vaisselle

1. Nous sommes la famille Dupré. Nous habitons dans une nouvelle maison en banlieue. La maison est grande et elle est belle. Nous aimons beaucoup notre maison.

2. Les lits sont confortables.
Tous les vêtements sont dans les armoires. Les meubles et l'équipement sont dans le salon et dans la cuisine : la grande table, les chaises, les fauteuils, le four électrique et la micro-onde.

3. Mais où est la vaisselle ?
On compte seulement deux couteaux et un petit bol ! Et des visiteurs arrivent ce soir ! Notre cuisine est mal équipée pour la famille ... et pour les visiteurs.

4. Maman va faire des courses dans un grand magasin en ville pour acheter de la vaisselle. Elle fait une liste. Sur la liste, elle écrit :

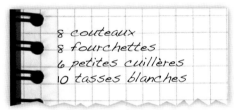

8 couteaux
8 fourchettes
6 petites cuillères
10 tasses blanches

Dans le grand magasin

3.22

Qu'est-ce que maman achète dans le grand magasin ?
Ecoute le CD. Complète le tableau.
Fill in the missing details in the grid about what Mum buys in the shop.

Number	Items of cutlery/crockery	Size	Colour
8	knives	x	x
	forks	x	x
	spoons	small	x
	plates		white
9	cups	x	
	saucers	x	
5	glasses		x
10	bowls		green
	jugs	big	
	coffee-pots		

Dans la cuisine

Lis les questions à choix multiple.

Pour chaque question, écris la bonne réponse (a, b, c ou d) dans la case.

1. Qu'est-ce que c'est ?

- (a) C'est un pain.
- (b) C'est un croissant.
- (c) C'est de la confiture.
- (d) C'est du sucre.

2. Qu'est-ce que c'est ?

- (a) C'est un verre.
- (b) C'est une tasse.
- (c) C'est un bol.
- (d) C'est une bouteille.

3. C'est une tasse ?

- (a) Non, c'est un verre.
- (b) Non, c'est un couteau.
- (c) Oui, c'est une tasse.
- (d) Non, c'est une cuillère.

4. Ce sont des bols ?

- (a) Oui, ce sont des bols.
- (b) Non, ce sont des verres.
- (c) Non, ce sont des couteaux.
- (d) Non, ce sont des tasses.

5. Qu'est-ce qu'elle boit ?

- (a) Elle boit du lait.
- (b) Elle boit du chocolat chaud.
- (c) Elle boit du vin.
- (d) Elle boit du jus d'orange.

6. Qu'est-ce qu'il mange ?

- (a) Il mange des gâteaux.
- (b) Il mange du pain.
- (c) Il mange des croissants chauds.
- (d) Il mange du pain grillé.

Travail oral

Choisis une image.

– Qu'est-ce que tu vois dans l'image ?
Exemple : – Image trois : je vois un couteau.

Les verbes réguliers en –RE
Regular verbs in –RE

You have already studied two groups of regular verbs (–ER and –IR verbs).
The third group of regular verbs has their infinitive ending in –RE.
Here is how you go about getting the present tense of an –RE verb.

Step 1	Take the infinitive which ends in –RE, for example: **vendre** (to sell).
Step 2	Take away the infinitive ending **–re** to leave you with the stem, **vend**.
Step 3	On to the stem, add these endings: –s, –s, –, –ons, –ez, –ent.

Here is how the present
tense of **vendre** looks:

Je	vends
Tu	vends
Il / Elle	vend
Nous	vendons
Vous	vendez
Ils / Elles	vendent

Une scène typique ?

Nous attendons le professeur !

Other important verbs treated like vendre are:

attendre	to wait for
descendre	to get down
répondre	to answer
perdre	to lose
entendre	to hear

 Exercice Ecris la forme correcte de chaque verbe au présent.

Write the correct form of each verb in the present tense.

1. Le boulanger _____**vend**_____ le pain.
   vendre

2. Je _____ à sa question.
   répondre

3. Tu _____ ton argent.
   perdre

4. Nous _____ l'autobus.
   attendre

5. Ils _____ des vêtements.
   vendre

6. Il _____ à la cuisine.
   descendre

7. J' _____ la voix de mon père.
   entendre

8. Vous _____ de l'autobus ?
   descendre

Pierre va à la boulangerie

1.

Où est la liste ?

Pierre attend l'autobus. Il fait des courses pour ses parents.

2.

Il descend de l'autobus. Il entre dans la boulangerie.

3.

Le boulanger vend des baguettes et des croissants. Il est sympa.

Avez-vous une baguette et six croissants ?

4.

Le boulanger répond à la question de Pierre.

5.

Salut, Pierre !

Devant la boulangerie, Pierre voit sa petite amie, Sophie. Il entend sa voix douce !

6.

Oh la la !

Pierre aime Sophie. Elle est belle. Mais il perd sa baguette et ses croissants !

Compréhension

Lis l'histoire.

Vrai ou faux ? Coche [✓] la bonne case.

attendre	répondre
descendre	entendre
vendre	perdre

		vrai	faux
1.	Pierre fait des courses pour son père et sa mère.		
2.	Il n'a pas de liste.		
3.	Le boulanger achète des baguettes et des croissants.		
4.	Le boulanger n'entend pas la question de Pierre.		
5.	Sophie est la sœur de Pierre.		
6.	Pierre est heureux avec Sophie.		
7.	C'est le chat qui a la baguette et les croissants à la fin.		

1. Identifie les articles

Ecoute le CD.

Douze articles sont mentionnés dans la liste.

Ecris le numéro correspondant à chaque article.

Twelve items will be called out in French. Write the number in the circle.

The first one has been done for you.

2. Trois personnes et trois petit déjeuners

Ecoute le CD.

Trouve le petit déjeuner de chaque personne.

Relie chaque personne avec le bon petit déjeuner.

Here are three people. You are also given a sketch of three breakfasts.

Listen to the CD and match each person with the correct breakfast.

Personne	Petit déjeuner
	A
	B
	C

Sylvie   Jeanne   Cécile

A.    B.    C.

Travail oral

La vaisselle : identifie les objets.

Qu'est-ce que c'est ?

C'est un ... C'est une ...

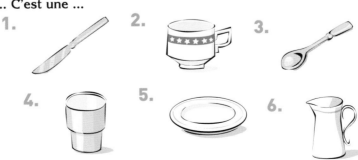

1. 2. 3.

4. 5. 6.

1. L'article partitif

Ecris l'article partitif (du, de la, de l' ou des) dans le blanc.

1. Write the partitive article (du, de la, de l' or des) in the blanks.

1. _____ pain
2. _____ croissants
3. _____ confiture
4. _____ eau
5. _____ beurre

6. _____ lait
7. _____ crème
8. _____ gâteaux
9. _____ jus d'orange
10. _____ œufs

2. Deux verbes

Replace les briques dans les murs.

Bricks are being stolen!
Can you replace them?

BOIRE
Je
bois
Il
boit
Nous
buvez
Ils
boivent

MANGER
Je
manges
Il
mange
Nous
mangez
Ils
mangent

3. Verbe régulier en -RE

Ecris le verbe attendre au présent.

Write the verb attendre in the present tense.

Attendre
J' _____attends_____
Tu _____
Il _____
Elle _____
Nous _____
Vous _____
Ils _____
Elles _____

4. Une drôle de boulangerie !

Complète les phrases suivantes avec les verbes.

Write the verbs in the present tense.
All are regular –RE verbs.

Dans la boulangerie, les clients _____ le boulanger.
attendre

Mais le boulanger prend son petit déjeuner !

Pendant ce temps, les clients _____ patience.
perdre

Un client dit : « Monsieur le boulanger, nous _____ notre pain.
attendre

Est-ce que vous _____ bientôt ? »
descendre

Alors, on _____ les enfants du boulanger. Ils _____ :
entendre   *répondre*

« Papa arrive. Nous _____ du très bon pain aujourd'hui ! »
vendre

Test

C'est le moment de vérifier tes connaissances du chapitre 12 !

Test 12

1. Qu'est-ce que c'est?

1. C'est un _____.

3. C'est un _____.

2. C'est une _____.

4. Ce sont des _____

[4]

2. La vaisselle
Complète les phrases.

1. Il boit du café dans un _____.

3. Il boit du jus d'orange dans un _____.

2. Il boit du thé dans une _____.

4. Il mange du yaourt avec une _____.

[4]

3. L'article partitif
Complète les blancs avec l'article partitif (du, de la, de l' ou des).

1. _____ confiture

3. _____ croissants

2. _____ eau

4. _____ pain

[4]

4. Les pronoms et les verbes
Relie les pronoms avec les verbes.

1. Vous   •   • buvons
2. Je   •   • prenez
3. On   •   • descends
4. Nous   •   • boivent
5. Elles   •   • boit

[4]

5. Cloze-test
Ecris les mots qui manquent dans les phrases.
Fill in the missing words in the sentences.

Il est sept heures du matin. Chico est dans la cuisine.
Il prend son petit _____.
Il a faim. Il _____ des céréales.
Il _____ soif. Il boit du jus de fruits.
Chico quitte la maison à sept _____ dix.

[4]

Comme toujours, le test est noté sur 20. Total ___ 20

Chapitre 12 : résumé

1. Vocabulaire

1. **Le petit déjeuner**

La nourriture		Les boissons
le pain	la confiture	le café
le pain au chocolat	la crème	le café au lait
le beurre		le thé
le sucre	les œufs (m)	le chocolat chaud
le sel	les croissants (m)	le lait
le yaourt	les céréales (f)	le jus de fruit
	les tartines (f)	l'eau (f)

2. **La vaisselle**

un couteau   une tasse
un bol   une fourchette
un verre   une soucoupe
un pot   une assiette
                    une cuillère
                    une cafetière

3. **Les opinions**

C'est bon !   C'est mauvais !
C'est très bon !   C'est très mauvais !
C'est excellent !   Ce n'est pas bon !
C'est délicieux !

C'est très bon, les œufs !

2. Grammaire

1. **L'article partitif**

	Singular	Plural		Negative
Masculine	du	des	All become	de
Feminine	de la	des		
Before vowel or silent 'h'	de l'	des		

2. **Les verbes**

   1. **Verbes réguliers en –RE**

VENDRE	
Je	vend**s**
Tu	vend**s**
Il	vend
Elle	vend
Nous	vend**ons**
Vous	vend**ez**
Ils	vend**ent**
Elles	vend**ent**

   2. **Verbe irrégulier : BOIRE**

BOIRE	
Je	bois
Tu	bois
Il	boit
Elle	boit
Nous	buvons
Vous	buvez
Ils	boivent
Elles	boivent

In this chapter, you will ...

- ● find out more about French eating habits
- ● learn to read a dinner menu
- ● say what you want for lunch or dinner
- ● understand a French recipe
- ● find out about food specialities of some French regions
- ● see how a waiter played an April Fool trick

In grammar, you will ...

- ● Compare the definite article and the partitive article
- ● study two important irregular verbs:
  pouvoir (to be able) and **vouloir** (to want)

Bon appétit !

Quand on est en vacances en France, c'est très agréable de manger dans la maison d'une famille française.

La cuisine française est célèbre dans le monde entier.

C'est un plaisir de manger dans un restaurant français.

On mange bien en France

- Quel est le plat du jour, s'il vous plaît ?

- C'est le bœuf bourguignon.

- C'est bon ?

- C'est excellent, Monsieur.

- Alors, je prends le bœuf bourguignon.

Food is very important to the French. They spend more on food each week than on any other item. For centuries, French cooking has enjoyed a very high reputation. Many people like to holiday in France to sample the food and the wines.

The word **'gourmet'** is used to describe someone who appreciates good food.

Bon appétit !

Quand on est en vacances en France, on remarque des différences importantes entre les repas des Français et les repas des Irlandais.

Before the start of a meal, it is important to wish the people who are at table with you « **Bon appétit !** ».

Lunch is the first important meal of the day. Between twelve noon and 2 pm, shops and businesses close. The French are having **le déjeuner**. This meal may consist of a starter, followed by a main course of meat or fish, finishing off with a selection of cheese and fruit.

The evening meal is called **le dîner.** It is prepared with great thought and care. It consists of several courses.

It is very much a family affair – starting perhaps at 7.30 and lasting until after nine o'clock. It is a time for conversation.

Des plats traditionnels

3.25

Ecoute cette liste de plats français.

Voici quelques plats traditionnels français. Ils sont très populaires.

- ⊙ le bœuf bourguignon
- ⊙ les crêpes
- ⊙ la fondue savoyarde
- ⊙ le coq au vin
- ⊙ la crème caramel
- ⊙ la soupe à l'oignon
- ⊙ la salade niçoise
- ⊙ le gratin dauphinois
- ⊙ les îles flottantes
- ⊙ les escargots

Mon plat préféré, c'est les crêpes.

Trois menus

3.26

Ecoute les menus.

Lyon est la deuxième ville de France. Lyon est la capitale gastronomique de la France.

On mange très bien dans les restaurants de Lyon.

Il y a beaucoup de restaurants dans cette ville.

Voici les menus de trois de ces restaurants.

La Cigale

Menu
à prix fixe, 30€

Entrée	potage du jour carottes râpées pâté de foie
Plat principal	poulet frites mouton au riz lapin à la moutarde
Dessert	fromages salade de fruits gâteaux
Boisson	vin rouge/blanc/rosé bière eau minérale

La Bagatelle

Menu

Entrée	salade verte pâté de canard
Plat principal	steak frites poule au riz
Desserts	glaces gâteau au chocolat

eau minérale/jus de fruit

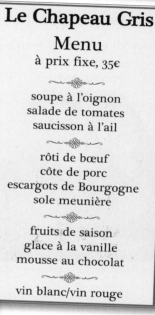

Le Chapeau Gris

Menu
à prix fixe, 35€

soupe à l'oignon
salade de tomates
saucisson à l'ail

rôti de bœuf
côte de porc
escargots de Bourgogne
sole meunière

fruits de saison
glace à la vanille
mousse au chocolat

vin blanc/vin rouge

Lis les trois menus

« Comme entrée, je prends le potage du jour.
Comme plat principal, je prends le mouton au riz.
Comme dessert, je prends la salade de fruits.
Et, comme boisson, je prends
de l'eau minérale. »

Examine les choix dans chaque restaurant :

1. les entrées
2. les plats principaux
3. les desserts/fromages
4. les boissons

Travail oral

Tu dînes dans un de ces restaurants.
Qu'est-ce que tu prends ?

Chez Roland

Gordes est une très jolie ville en Provence. Dans le centre de la ville, il y a un restaurant, **Chez Roland**. Ce restaurant est très populaire.

Le patron du restaurant, Patrice Delaveau, est sympa. Il accueille tous ses clients.

Le chef, Guillaume, est un expert. Il prépare tous les plats provençaux. Le serveur, Luc, et la serveuse, Pénélope, sont travailleurs et polis. Ils mettent le couvert. Ils prennent les commandes des clients. Ils débarrassent les tables après les repas.

Restaurant
Chez Roland
- *Menus à 20 et 30€*
- *Cuisine traditionnelle dans une ambiance sympathique*
- *Ouvert tous les jours*

Aujourd'hui, c'est dimanche. Il y a beaucoup de clients dans le restaurant. Ils mangent bien ... et les conversations sont animées.
Ecoute quelques extraits de ces conversations.

Des conversations *Chez Roland* Ecoute le CD.

3.27

Identifie et numérote (de 1 à 14) les conversations.
Listen to these snippets of conversation which can be heard in the restaurant **Chez Roland**.
Number them from 1 to 14 in the order that you hear them.

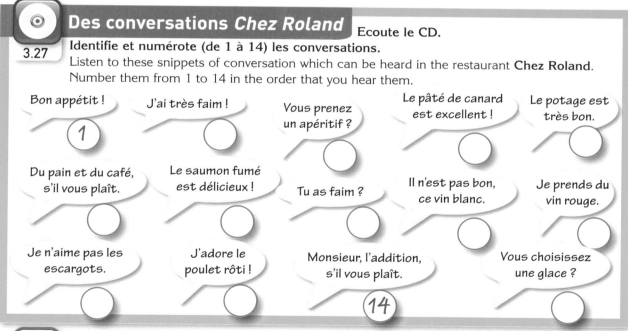

Bon appétit ! — 1

J'ai très faim !

Vous prenez un apéritif ?

Le pâté de canard est excellent !

Le potage est très bon.

Du pain et du café, s'il vous plaît.

Le saumon fumé est délicieux !

Tu as faim ?

Il n'est pas bon, ce vin blanc.

Je prends du vin rouge.

Je n'aime pas les escargots.

J'adore le poulet rôti !

Monsieur, l'addition, s'il vous plaît. — 14

Vous choisissez une glace ?

Compréhension
Lis la description du restaurant et les conversations.
Réponds aux questions en anglais.

1. What sort of man is the owner of the restaurant?
2. What dishes does the chef prepare?
3. What work do Luc and Pénélope do?
4. On which day of the week do the conversations take place?
5. Name five items of food that you can eat in the restaurant.

Deux verbes irréguliers

Pouvoir et **vouloir** sont des verbes importants. Ils sont irréguliers.

POUVOIR to be able
Je **peux**
Tu **peux**
Il Elle } **peut**
Nous **pouvons**
Vous **pouvez**
Ils Elles } **peuvent**

VOULOIR to wish/to want
Je **veux**
Tu **veux**
Il Elle } **veut**
Nous **voulons**
Vous **voulez**
Ils Elles } **veulent**

1. **Je peux** becomes **Puis-je ?** when inverted to ask a question.
   e.g. **Puis-je prendre le pâté ?**

2. Both of these verbs can be used as 'helper' verbs. This means that they can be followed by another verb which is left in the infinitive.
   e.g. **Je peux aller au restaurant.**
   Il veut faire un gâteau.

Claire et Philippe veulent sortir ce soir.

1. – Tu veux sortir ce soir, ma chérie ?

2. – Oui, bien sûr ! Nous pouvons aller au restaurant.

3. – Puis-je prendre le menu à prix fixe, s'il vous plaît ?

4. – Voulez-vous commander, Madame?

5. – Je vais prendre une entrée.

6.
> Je vais prendre le pâté de canard.

Claire et Philippe, qu'est-ce qu'ils commandent ?

3.28 **Ecoute le CD.**
Complète le tableau.
Write down what Claire and Philippe order for their meal.

7.
> Je vais prendre la salade de fruits.

	Claire	Philippe
Starter	Duck pâté	
Main course		Steak and chips
Dessert	Chocolate mousse	
Drink		Red wine

Devoirs

1. Pouvoir et vouloir

Complète les phrases avec la forme correcte du verbe pouvoir ou du verbe vouloir.
Write the correct form of pouvoir or vouloir in these sentences.

1. Je _____ aller au restaurant ce soir.
   pouvoir
2. Tu _____ choisir le menu à prix fixe ?
   vouloir
3. Elle _____ boire du vin rouge.
   vouloir
4. Ils _____ dîner à la terrasse.
   pouvoir
5. Vous _____ prendre un apéritif.
   pouvoir
6. Elles _____ goûter le fromage.
   vouloir
7. Il _____ voir l'addition.
   vouloir
8. Vous _____ choisir les escargots.
   pouvoir
9. _____ - je prendre un dessert ?
   pouvoir
10. Nous _____ prendre le poulet rôti.
    vouloir

Une scène dans un restaurant

1.

Puis-je avoir un œuf ?

2.
Vous voulez un œuf ou deux œufs, Monsieur ?

3.
Un œuf, s'il vous plaît.

One egg is always *'un œuf'* for a Frenchman!

2. Les formes affirmatives et négatives

Ecris les phrases à la forme négative, comme dans l'exemple.

Exemple : Je veux aller au restaurant. → Je ne veux pas aller au restaurant.
Write the sentences in the negative, following the example shown.

1. Il peut aller au restaurant. → _____
2. Nous voulons faire une omelette. → _____
3. Tu peux dîner à la terrasse. → _____
4. Ils veulent choisir une glace. → _____
5. Elle peut sortir ce soir. → _____
6. Nous pouvons prendre un dessert. → _____
7. Vous voulez mettre le couvert. → _____
8. Elles peuvent choisir les fruits. → _____

Puis-je prendre les carottes ?

Je ne prends pas les escargots !
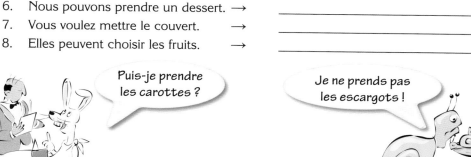

Les spécialités régionales

Beaucoup de régions en France ont leur spécialité : un plat de la région, un fromage, un vin, un dessert ou une salade.

Voici quelques spécialités régionales.

Tu peux essayer de cuisiner ces plats chez toi ce soir !

1. La fondue savoyarde

    En Savoie, la fondue savoyarde est très populaire. Le chef fait une fondue avec du fromage (du gruyère ou de l'emmenthal) et du vin blanc. Vous voulez goûter la fondue savoyarde ? Pendant le repas, trempez des morceaux de pain sec dans le fromage fondu.

    Savoy is in the East of France where a cheese fondue is a speciality. You dip your bread into the melted cheese.

2. Les crêpes

    Les crêpes sont une spécialité bretonne. Elles sont délicieuses ! Vous voulez faire des crêpes ? Voici les ingrédients : de la farine, des œufs, du lait et du sucre.

    In Brittany, where the farms have cows that give lots of milk, pancakes are very popular.

3. La quiche lorraine

    La quiche lorraine est un plat traditionnel de Lorraine, une région dans l'Est de la France. C'est une sorte de tarte avec du jambon, du fromage, des œufs et du lait.

    Quiche Lorraine is a type of pastry tart baked with a filling of ham, cheese, eggs and milk.

4. La bouillabaisse

Vous aimez le poisson ? A Marseille, la bouillabaisse est un plat traditionnel. Vous pouvez faire de la bouillabaisse avec du poisson, des tomates, des oignons et de l'ail.

The French like seafood. The seafood restaurants in Marseilles serve **bouillabaisse** – a kind of fish stew made from various fish, with onions, tomatoes, garlic and herbs.

5. Les escargots

Les escargots sont une spécialité de Bourgogne. Vous pouvez goûter des escargots dans un restaurant français. Les Français ne mangent pas souvent d'escargots !

Snails are bred on special snail farms in Burgundy. They are not the snails found in our gardens. They are a delicacy eaten with a garlic sauce.

Compréhension

Lis la description des spécialités régionales.

Complète le tableau.

1.	Name two dishes that include cheese.	
2.	Name two dishes that include eggs.	
3.	Name the dish from: the South of France. Brittany Burgundy	

Mon plat préféré

Six personnes parlent de leur plat préféré.

3.29

Ecoute le CD.
Complète le tableau.

	Name of person	Where he/she lives	Favourite dish
1.	David	Brittany	
2.	Delphine		bouillabaisse
3.		Lorraine	quiche lorraine
4.	Françoise	Burgundy	
5.		Savoy	fondue savoyarde
6.	Hélène		

Le déjeuner

Le déjeuner est un repas important.

Lunch is quite a large meal. A typical lunch would start with an **entrée** (starter).

This would be followed by a **plat principal** (main course) of meat or fish, with vegetables or salad.

The meal would finish with a selection of cheese or fruit, or a dessert.

On déjeune entre midi et une heure de l'après-midi.

On prend ce repas au collège, au lycée, à la maison ou au restaurant.

D'habitude, on prend ...
- une entrée
- de la viande
  ou
- du poisson
- des légumes
- du fromage
- un dessert

Etudie les listes suivantes.

Find out the names of some of the main items that you might come across on a French menu by studying the following lists of items.

1. Les entrées

Starters may consist of salads, cold meats, pâté or eggs with mayonnaise sauce.

Les crudités
These are salads – a selection of vegetables served raw, such as grated carrots, tomatoes, lettuce, slices of cucumber.

Le pâté
A famous French pâté is **le foie gras** – a goose-liver pâté.

Le potage / La soupe
Soup

Le jambon
Cooked ham

Le saucisson
This is a dry sausage, served in thin slices. If you would like to sample garlic-flavoured **saucisson**, you should ask for **du saucisson à l'ail**.

Les fruits de mer
This is the term used to describe seafood.

2. Le plat principal

La viande (meat)		Le poisson (fish)	
le bœuf	beef	**le saumon**	salmon
le mouton	mutton	**la truite**	trout
l'agneau	lamb	**la sole**	sole
le porc	pork	**les moules**	mussels
le poulet	chicken	**le cabillaud**	cod
le veau	veal	**le homard**	lobster
le lapin	rabbit	**le hareng**	herring

3. Les légumes

les pommes de terre	potatoes
les frites	chips
le chou	cabbage
le chou-fleur	cauliflower
les champignons	mushrooms
les carottes	carrots
les petits pois	peas
les haricots verts	green beans

Les carottes sont délicieuses !

Qu'est-ce que tu prends ?

Je prends le poulet rôti.

4. Les desserts

les glaces	ice cream
les gâteaux	cakes
le yaourt	yogurt
les fruits	fruit

Travail oral

Il est midi et demi.
Tu déjeunes dans un restaurant français.
Qu'est-ce que tu prends ...

comme entrée ?
comme plat principal ?
comme légumes ?
comme dessert ?

Je mange un œuf à la coque.

L'article défini et l'article partitif

Let's compare the use of the definite article and the partitive article.
You studied the definite article on page 76 and the partitive article on page 232.

The definite article (le, la, l' or les) means 'the'.

The partitive article (du, de la, de l' or des) means 'some' – that is, 'part of' the whole.

Study how the difference is shown in the following illustrations and captions.

Des aliments : 1

le fromage	la tarte	l'agneau
du fromage	de la tarte	de l'agneau
le poisson	le gâteau	les carottes
du poisson	du gâteau	des carottes

Having studied the illustrations and captions above, fill in the missing captions below.

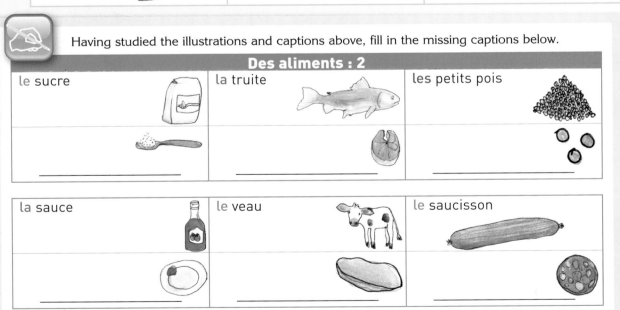

Des aliments : 2

le sucre	la truite	les petits pois
_____	_____	_____
la sauce	le veau	le saucisson
_____	_____	_____

Des aliments : 1 et 2

Ecoute ces deux listes d'aliments.
Vérifie tes réponses quand tu écoutes la 2ᵉ liste.

3.30

Exercices

1. L'article défini

Complète les blancs avec le bon article défini (le, la, l' ou les).

Write the correct definite article (le, la, l' or les) before each noun.

1. __la__ viande
2. _____ poisson
3. _____ frites
4. _____ gâteaux
5. _____ jambon
6. _____ potage
7. _____ entrée
8. _____ sole
9. _____ saumon
10. _____ truite
11. _____ agneau
12. _____ petits pois

2. L'article partitif

Complète les blancs avec le bon article partitif (du, de la, de l' ou des).

Write the correct partitive article (du, de la, de l' or des) before each noun.

1. _____ bœuf
2. _____ porc
3. _____ sauce
4. _____ fruits de mer
5. _____ eau
6. _____ pâté
7. _____ frites
8. _____ crudités
9. _____ agneau
10. _____ légumes
11. _____ poisson
12. _____ viande

3. Le masculin et le féminin

Réutilise les adjectifs de la colonne de gauche dans la colonne de droite.

Use the same adjective in the second sentence as is used in the first.
Don't forget to make the adjective agree with its noun!

1. Le poisson est bon.   → La viande est bonne.
2. Le mouton est excellent.   → La sole est _____.
3. Le veau est superbe.   → La truite est _____.
4. Le saucisson est délicieux. → La viande est _____.
5. Les petits pois sont mauvais. → Les carottes sont _____.
6. Le potage est froid.   → Les frites sont _____.
7. Le poulet est bon.   → Les glaces sont _____.
8. Le chou est délicieux.   → Les pommes de terre sont _____.

4. Le singulier et le pluriel

Ecris ces expressions au pluriel.

Write these phrases in the plural.

1. Le grand gâteau   → _Les grands gâteaux_
2. Le petit fromage   → _____
3. Le mouton est bon   → _____
4. Le client est content → _____
5. Une tomate rouge   → _____
6. Voilà le poisson   → _____

Poisson d'avril !

Pierre est le nouveau serveur dans un restaurant français.
Il est très amusant. Il a le sens de l'humour.
Mais son patron est strict. Il n'aime pas les blagues de Pierre.

Poisson d'avril !

Aujourd'hui, c'est le premier avril. Pierre décide
de faire un poisson d'avril à son patron.
Il mélange tous les plats quand il prépare le
menu : les entrées, les plats principaux et les desserts.
Tout est mélangé ! Le patron n'est pas content. Il se fâche
contre Pierre.

Lis le menu préparé par Pierre !

entrées

canard à l'orange
tarte aux pommes
gâteaux
truite aux amandes
mousse au chocolat
filet de sole

plats principaux

salade de fruits
yaourt
pâté de foie
œufs mayonnaise
glace à la vanille
salade de tomates

desserts

crudités de saison
rôti de bœuf
saucisson à l'ail
côte de porc
salade niçoise
steak frites

Exercice   Ecris le bon menu !

Write out the correct menu – as Pierre should have written it.
There should be six starters, six main courses and six desserts.

entrées

1. _____
2. _____
3. _____
4. _____
5. _____
6. _____

plats principaux

1. _____
2. _____
3. _____
4. _____
5. _____
6. _____

desserts

1. _____
2. _____
3. _____
4. _____
5. _____
6. _____

Le menu   Vérifie tes choix !

3.31   Ecoute le CD pour vérifier les plats.

Mon repas préféré

3.32

Quatre jeunes Français parlent de leur repas favori.

Ecoute le CD.

Complète les phrases.

1. **Farah**

   « J'adore le couscous. Chez nous, ma grand-mère prépare du couscous tous les dimanches pour le repas de _____. Elle met du poulet, de l'agneau et des légumes, comme par exemple des courgettes et des _____. Son couscous est _____ ! »

2. **Victor**

   « J'habite dans les Alpes. En hiver, chez moi, on _____ de la fondue savoyarde. En général, on est nombreux. On mange avec des _____ et de la famille.

   Tout le monde met sa fourchette avec son morceau de pain dans le même plat. Souvent, le pain tombe dans le plat. C'est très _____ ! »

3. **Sandra**

   « En été, chez moi, on fait souvent un barbecue. Mon père achète des saucisses, du poulet ou des _____. On fait un feu et on met la viande sur le grill. C'est _____. On invite des amis et on mange dehors dans le _____. »

4. **Eric**

   « Quand je mange au restaurant le _____, mon plat préféré c'est le steak frites.

   Mais je n'aime pas les _____ !

   Ma mère n'est pas contente. Moi, je _____ content quand j'ai mon steak frites ! »

Compréhension

Lis les descriptions des quatre repas.

Complète le tableau.

	What is eaten	Where	When
Farah	couscous	at home	on Sundays
Victor			in Winter
Sandra		in the garden	
Eric	steak and chips		

Les trois repas de la journée de Robin

3.33

Ecoute la description des trois repas de Robin.

Complète les descriptions avec les détails que tu entends.

Listen to an account of the three meals in the day of a French schoolboy.

Fill in the missing details.

1. **Le petit déjeuner**

   Robin se réveille à sept heures du matin. A sept heures et quart,
   il entre dans la cuisine. Il prend son petit déjeuner. Il mange du
   _____ avec de la _____. Il boit
   _____ chocolat chaud. Puis il sort de la maison.
   Il va au collège.

2. **Le déjeuner**

   Il est midi. C'est l'heure du déjeuner au collège. Robin va à la
   cantine. Il a faim. Comme entrée, il prend _____ salade. Puis
   il choisit du poulet rôti et _____ frites. Robin adore les frites !
   Il boit _____ lait et, comme dessert, il mange un yaourt.

3. **Le dîner**

   Robin est très fatigué. Il est à la maison. Il est maintenant
   _____ heures. C'est l'heure du dîner. Comme entrée ce soir,
   il y a _____ saucisson. Comme plat principal, Robin
   _____ du rôti de bœuf et des _____, des carottes
   délicieuses. Puis, Robin prend _____ fromage. Il ne boit pas
   _____ vin. Il est trop jeune !

Travail oral

Réponds oralement à ces questions.

1. Qu'est-ce que mange Robin pour le petit déjeuner ?
2. Qu'est-ce qu'il boit ?
3. Où est-ce qu'il déjeune à midi ?
4. Qu'est-ce qu'il mange pour le déjeuner ?
5. Qu'est-ce qu'il boit ?
6. A quelle heure est-ce qu'il dîne à la maison le soir ?
7. Qu'est-ce qu'il mange pour le dîner ?
8. Pourquoi est-ce qu'il ne boit pas de vin ?

Une recette

Carole a quinze ans.

Elle aime faire la cuisine. Elle regarde les émissions de cuisine
à la télé. Elle a une petite collection de livres de cuisine.
Ses parents travaillent tous les deux. Alors, très souvent,
Carole prépare le repas du soir pour la famille.
Son plat préféré, c'est le coq au vin.

 Une recette

3.34

Carole donne la recette du coq au vin.

Ecoute le CD. Complète la recette avec les ingrédients que tu entends.

« Aujourd'hui, je vous donne les ingrédients pour faire un coq au vin. C'est mon plat préféré !

1. Il faut un gros ___poulet___ de 1kg 500 environ.

2. Ensuite, prenez du ___vin___ rouge et de l' _____.

3. Il faut aussi des légumes, des _____ par
exemple, et puis des oignons et de l'ail.

4. Vous pouvez mettre une ou deux _____
et quelques champignons.

5. Enfin, n'oubliez pas le _____ et le _____.

Vous pouvez servir le coq au vin avec des pommes de terre, du riz ou simplement du pain.
C'est délicieux ! »

 Travail oral Réponds à ces questions.

1. Tu aimes faire la cuisine à la maison ?
2. Quel est ton plat préféré ?
3. Quels sont les ingrédients que tu mets dans ce plat ?

Des aliments et des boissons Lis les questions à choix multiple.

Pour chaque question, écris la bonne réponse (a, b, c ou d) dans la case.

1. Qu'est-ce que c'est ?

(a) C'est un gâteau.
(b) C'est une glace.
(c) C'est un croissant.
(d) C'est un yaourt.

2. Qu'est-ce que c'est ?

(a) C'est du pâté.
(b) C'est de la crème.
(c) C'est du veau.
(d) C'est du fromage.

3. Qu'est-ce que c'est ?

(a) C'est de la viande.
(b) C'est un œuf.
(c) C'est une boisson.
(d) C'est du poisson.

4. Qu'est-ce qu'il mange ?

(a) Il mange des crudités.
(b) Il mange des fruits.
(c) Il mange du canard.
(d) Il mange de l'agneau.

5. Qu'est-ce qu'elle boit ?

(a) Elle boit du vin blanc.
(b) Elle boit du lait.
(c) Elle boit de la bière.
(d) Elle boit du vin rouge.

6. C'est du potage ?

(a) Non, c'est du saucisson.
(b) Oui, c'est du potage.
(c) Non, c'est du poulet.
(d) Non, c'est de l'agneau.

7. Ce sont des escargots ?

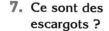

(a) Non, ce sont des petits pois.
(b) Oui, ce sont des escargots.
(c) Non, c'est du homard.
(d) Non, ce sont des légumes.

Mots croisés

Fais les mots croisés.

1. Complète les phrases.
2. Les mots que tu trouves sont les solutions pour les mots croisés.

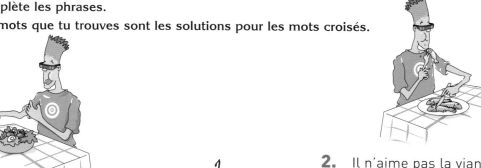

2. Il n'aime pas la viande. Alors comme plat _____, il prend du poisson : de la sole.

1. C'est Chico ! Il dîne au restaurant. Comme entrée, il choisit des _____ : il adore les légumes !

3. Comme légumes, il prend des _____. Ils sont délicieux !

4. Chico a toujours faim ! Alors, comme dessert, il choisit deux _____ ! Il est gourmand !

5. Le repas est terminé. Chico _____ rentrer à la maison. Il est content.

Conversations au restaurant

Relie chaque phrase en français avec son équivalent en anglais.

Join the dots to link each French phrase with its English version.

1.	Bon appétit !	•	I like snails.
2.	Comme entrée, je prends ...	•	He wants the veal.
3.	J'aime bien les escargots.	•	Can I have some bread?
4.	Il veut le veau.	•	Enjoy your meal!
5.	Vous avez du fromage ?	•	For dessert, you're taking...
6.	Je peux avoir du pain ?	•	Can I have the salt?
7.	Comme dessert, vous prenez ...	•	The bill, please.
8.	Tu veux des légumes ?	•	Have you any cheese?
9.	Puis-je avoir le sel ?	•	Do you want vegetables?
10.	L'addition, s'il vous plaît.	•	For a starter, I'll take...

3.35

Une interview avec Monique

Ecoute cette interview avec Monique.

Complète le tableau pour indiquer ce qu'elle mange et boit ...

     - pour le petit déjeuner

     - pour le déjeuner

     - et pour le dîner.

Listen to the interview with Monique.

Fill in the details of what she eats and drinks for breakfast, lunch and dinner.

Meal	She eats...	She drinks...
Breakfast	cereals and ...	hot chocolate
Lunch	salmon or ...	
Dinner	salad, lamb...	

1. Une lettre

Ecris une lettre à ton correspondant/ta correspondante français(e).
Explique ce que tu manges pour le petit déjeuner, le déjeuner et le dîner.

Curry, le 3 août

Chère Monique,

J'habite dans une petite ville dans le Sligo. Il fait chaud ici cet été.
Comme toi, j'aime beaucoup les repas.
Pour le petit déjeuner, je mange ...

2. L'article partitif

Complète les blancs avec l'article partitif (du, de la, de l' ou des).

Write the partitive article (du, de la, de l' or des) in the blank.

1. ___du___ fromage
2. _____ eau
3. _____ tarte
4. _____ saumon
5. _____ huile
6. _____ poulet
7. _____ gâteaux
8. _____ crème
9. _____ frites
10. _____ veau
11. _____ potage
12. _____ céréales

3. Deux murs : deux verbes

Replace les briques dans les murs.

Somebody has stolen the bricks.
Can you replace them?

POUVOIR
Je | peux
Tu
peut
Elle
Nous
pouvez
Ils
Elles

VOULOIR
veux
Tu
Il
veut
voulons
Vous
veulent
Elles

3. Questions et réponses

Complète les réponses aux questions.

Answer each question, writing the verb from the question in its correct form.

Question	Réponse
1. Qu'est-ce que vous prenez ?	Je ____prends____ du poulet.
2. Avez-vous du poisson ?	Nous _____ de la sole.
3. Où est-ce qu'on va ?	On _____ au restaurant.
4. Qu'est-ce que vous regardez ?	Nous _____ la carte.
5. Est-ce que tu aimes les glaces ?	Oui, j' _____ les glaces.
6. Qu'est-ce qu'ils veulent ?	Ils _____ du pâté.
7. Est-ce que vous buvez du vin ?	Oui, je _____ du vin.

Tu aimes le coq au vin ?

Non, je n'aime pas le coq au vin !

Test

C'est le moment de vérifier tes connaissances du Chapitre 13 !

Test 13

1. L'article défini

Complète les blancs avec l'article défini (le, la, l' ou les).

1. _____ quiche lorraine   3. _____ bouillabaisse

2. _____ crêpes   4. _____ couscous

4

2. L'article partitif

Complète les blancs avec l'article partitif (du, de la, de l' ou des).

1. _____ pâté   3. _____ potage

2. _____ eau   4. _____ légumes

4

3. Identifie les aliments

C'est de la viande ? C'est du poisson ? C'est un légume ? C'est un dessert ?

Exemple: le mouton → *c'est de la viande*

1. le bœuf → _____   3. la truite → _____

2. le yaourt → _____   4. le chou → _____

4

4. Deux verbes : pouvoir et vouloir

Complète les phrases avec la forme correcte du verbe.

1. Nicole _____ aller au restaurant ce soir.
   pouvoir

2. Ma mère et moi, nous _____ prendre le poulet rôti.
   vouloir

3. Jacques et son père _____ dîner sur la terrasse.
   vouloir

4. _____ -je voir l'addition, s'il vous plaît ?
   pouvoir

4

5. Les adjectifs

Fais accorder les adjectifs (masculin/féminin, singulier/pluriel).

1. Le mouton est _____.   3. Les frites sont _____.
   bon   *bon*

2. La sole est _____.   4. Les gâteaux sont _____.
   bon   *bon*

4

Comme toujours, le test est noté sur 20.

Total
20

Chapitre 13 : résumé

 1. Vocabulaire

1. Les entrées

les crudités	le potage	le saucisson
le pâté	le jambon	les fruits de mer
le foie gras	les œufs mayonnaise	la salade de tomates

2. Les plats principaux

la viande:

le bœuf	le porc	le lapin
le mouton	le poulet	le steak frites
l'agneau (m)	le veau	le rôti de bœuf

le poisson:

le saumon	les moules
la truite	le cabillaud
la sole	le homard

Au secours !

3. Les plats traditionnels

le bœuf bourguignon	la crème caramel	les crêpes
la bouillabaisse	la soupe à l'oignon	le coq au vin
la fondue savoyarde	la salade niçoise	le gratin dauphinois

4. Les légumes

les pommes de terre	le chou-fleur	les petits pois
les frites	les champignons	les haricots verts
le chou	les carottes	les oignons

5. Les desserts

les glaces	le yaourt	la mousse au chocolat
les gâteaux	les fruits	la tarte aux pommes

 2. Grammaire

Deux verbes irréguliers : POUVOIR et VOULOIR

1.

POUVOIR	
Je	peux
Tu	peux
Il	peut
Elle	peut
Nous	pouvons
Vous	pouvez
Ils	peuvent
Elles	peuvent

2.

VOULOIR	
Je	veux
Tu	veux
Il	veut
Elle	veut
Nous	voulons
Vous	voulez
Ils	veulent
Elles	veulent

In this chapter, you will ...

- look at how streets are named in France
- look at the buildings in a French town
- ask for directions
- understand directions given
- explore the attractions of Paris
- write a letter describing your town

In grammar, you will ...

- study two important irregular verbs:
  venir (to come) and **savoir** (to know)
- look at the differences between **aller** and **venir**

14

On découvre une ville française

Quand on va en France, il est important de savoir demander son chemin ... et de comprendre la réponse !

Dans une ville française, on va voir des noms de rues, de monuments et de sites touristiques importants.

Les noms de rues

Voici des noms de rues que l'on trouve souvent dans les villes françaises.

These are examples of the street-name signs that you will find in a French town.

France is famous for its writers (e.g. Zola, Flaubert, Balzac) and painters (e.g. Cézanne, Renoir, Monet). They are frequently commemorated in street names. Its monarchs, politicians and military generals are also remembered.

A street name may have a political theme: **Rue de la République**. A street name may simply indicate the situation of a prominent building on the street or square: **Place de la mairie**.

Un quartier de Paris

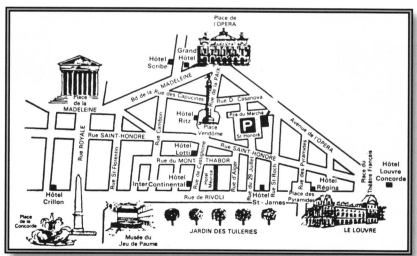

 Etudie cette carte

On trouve, sur la carte, les noms de rues, de places, d'un boulevard et d'une avenue. On trouve aussi les noms d'un jardin et d'un musée ... et les noms de beaucoup d'hôtels.

 Fais une liste de noms

Write out some street names that you find on the map.

Divide them into categories (**les rues, les places, une avenue, un boulevard**).

Une famille irlandaise visite Paris

Paris, la capitale de la France, est une grande ville touristique. En effet, c'est la ville la plus visitée du monde. A Paris, il y a des monuments, des musées, des avenues et des sites qui intéressent les visiteurs.

Une famille irlandaise est en vacances à Paris. Ils ont un plan de la ville. Sur ce plan, ils marquent trois sites touristiques qu'ils veulent voir : le Musée d'Orsay, le Sacré-Cœur et les Champs-Elysées.

1. **Le Musée d'Orsay** est un musée d'art. Il est situé au centre de Paris, sur la rive gauche de la Seine. Il est dans le 7e arrondissement. La Tour Eiffel n'est pas loin. Le Musée d'Orsay est une ancienne gare de trains.

2. **Le Sacré-Cœur** est une basilique située au nord de Paris, dans le quartier de Montmartre. Le Sacré-Cœur est dans le 18e arrondissement. Il est situé sur une colline.

3. **Les Champs-Elysées** sont une grande avenue. Cette avenue est célèbre dans le monde entier. Elle est très large. Il y a des magasins, des cafés et des hôtels très chics.
   Les Champs-Elysées sont dans le 8e arrondissement. Au bout de l'avenue, on trouve l'Arc de Triomphe.

 Compréhension Lis la description des trois sites touristiques.

Complète le tableau.

		Arrondissement	One important detail
1.	Le Musée d'Orsay	7th	
2.	Le Sacré-Cœur		
3.	Les Champs-Elysées		

Des bâtiments dans une ville française

On trouve ces bâtiments et ces magasins dans les villes françaises.

Look at the names which are on these buildings and shops.

How many do you recognise?

Un bâtiment important

L'hôtel de ville n'est pas un hôtel !

If you see a building with the name 'Hôtel de ville' don't look for accommodation there! It is the town hall where the mayor has his office.

In a smaller town, this building is called 'la mairie'.

Couples who are getting married come to the town hall for the civil ceremony.

En ville

3.36

Qu'est-ce que c'est, ce bâtiment ?
Ecoute cette liste de bâtiments et de magasins.
Here are some buildings and shops that you will see in a French town. Listen to the names.
Take careful note of the gender of each name. Some are masculine and some are feminine.

1. le cinéma

2. la banque

3. le musée

4. la gare

5. le supermarché

6. la bibliothèque

7. le stade

8. la piscine

9. le poste de police

10. la poste

11. le parc

12. l'usine (f)

13. l'hôpital (m)

14. l'auberge de jeunesse (f)

15. le marché

16. l'école (f)

17. le parking

18. l'église (f)

19. le jardin public

20. la station-service

21. l'hôtel de ville (m)

22. la mairie

Travail oral à deux **Dis à voix haute ces noms de bâtiments.**

– **L'élève de gauche prononce** le nom masculin.
– **L'élève de droite prononce** le nom féminin.
The student on the left says aloud the masculine name from the list of buildings and shops.
The student on the right says the feminine name. Go right around the class!

Un guide touristique parle

3.37

« Bonjour !
Je m'appelle Cécile.
Je travaille comme guide touristique ici à Béziers.
Il y a beaucoup de bâtiments importants dans cette ville.
Il y a le musée, la bibliothèque … »

Ecoute Cécile, le guide touristique.
Elle donne les noms de quelques bâtiments importants à Béziers.
Listen as the guide gives the names of some important buildings in Béziers. Write the number in the circles (to correspond with the one in the list of buildings shown in the illustrations).

3 6

Exercices

1. Les bâtiments

Complète avec l'article défini (le, la, l' ou les).

Write the definite article (le, la, l' or les) before the noun.

1. _____ poste
2. _____ poste de police
3. _____ hôpital
4. _____ marché
5. _____ magasins

6. _____ musée
7. _____ mairie
8. _____ stade
9. _____ église
10. _____ usines

11. _____ station-service
12. _____ bibliothèque
13. _____ parc
14. _____ supermarché
15. _____ hôtel de ville

2. Des illustrations de bâtiments

Regarde les illustrations. Complète les phrases.

Fill in the blank with the name of the building shown in the illustration.

1.

1. Pierre cherche _____l'hôtel de ville_____.

2. Karen veut visiter _____.

3. Luc travaille dans _____.

4. Les touristes visitent _____.

5. Les enfants vont à _____.

2.

3.

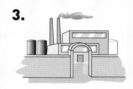

4.

5.

3. Où est-ce qu'on va ?

Complète les blancs avec à, au, à la, à l' ou aux.

Write à, au, à la, à l' or aux in the blank.

1. Je suis sportif. Je vais _____ stade.
2. Nicole est malade. Elle va _____ hôpital.
3. André a six ans. Il est un élève. Il va _____ école.
4. Mon grand-père adore l'histoire. Il va _____ musée.
5. Le train part à trois heures. Luc va _____ gare.
6. Il veut acheter des fruits. Il va _____ supermarché.
7. Il pleut. Les enfants ne peuvent pas aller _____ parc.
8. Quand on veut voir un film, on va _____ cinéma.

N'oublie pas !
Au means 'to the'. This is used before a masculine noun.
Use **à la** before a feminine noun.
Use **à l'** before a vowel or silent 'h'.
Use **aux** before all plural nouns.

Les directions : les questions

Chico est en vacances à Toulouse.

Mais il est perdu dans le centre-ville !

Il ne connaît pas Toulouse.

Il demande des directions à des passants.

Il cherche ...
1. la gare
2. le musée
3. la piscine
4. le cinéma

Chico is on holidays in Toulouse. He asks for directions ... using four different ways. He starts with the easiest way.

1. He wants to go to the **station**. He says the name and adds 'please'. This is a very simple way of asking directions.

> **– La gare, s'il vous plaît ?**

2. He wants to go to the **museum**. He politely says 'Excuse me' and then asks 'Where is the museum?'

> **– Pardon, Monsieur. Où est le musée ?**

3. He wants to go to the **swimming pool**. He says 'Excuse me'. Then he asks... 'Is there a swimming pool near here?'

> **– Pardon, Madame. Il y a une piscine près d'ici ?**

4. He wants to go to the **cinema**. He starts with **Pour aller ...** and then adds the name.

> **– Pour aller au cinéma, s'il vous plaît ?**

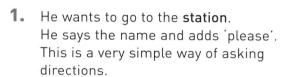

As you can see, it is quite easy to ask for directions. You don't need to use any complicated question forms.

On demande son chemin

Ces gens demandent leur chemin dans la rue.

1. Paul cherche l'hôpital.
2. Sophie cherche la poste.
3. André cherche la banque.
4. Nicole cherche le stade.

Remplis les bulles

Pour chaque bulle, pose la question d'une manière différente.

Fill in the speech bubbles. People are asking for directions. Use a different way of asking each time, like Chico did on the previous page.

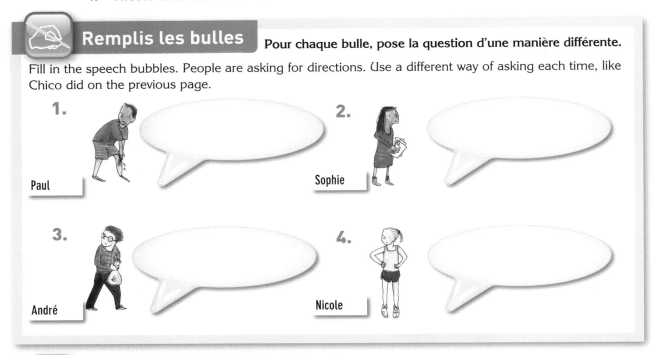

1. Paul

2. Sophie

3. André

4. Nicole

Pour aller à … ?

3.38

Ils cherchent leur chemin.

Ecris où chaque personne veut aller. Précise la distance.

Eight people are looking for directions.
Write down where each person wants to go … and how far away it is (in kilometres or minutes).

Le musée, Monsieur, c'est à 3 km d'ici.

	Destination	Distance	Minutes away
1.	Post office	✗	5 mins
2.		2 km	✗
3.		✗	
4.			✗
5.			✗
6.			
7.			✗
8.			✗

– Pour aller à … ?

Huit touristes sont en vacances à Paris. Ils veulent visiter les endroits que l'on voit sur les photos. Ils demandent leur chemin dans la rue. Par exemple, Paul demande :

– Pardon, Monsieur. Pour aller à Eurodisney, s'il vous plaît ?

1.

Le Jardin des Plantes

2.

La Tour Montparnasse

3.

Eurodisney

4.

La Gare de Lyon

5.

Le Cimetière du Père Lachaise

6.

Le Centre Commercial des Halles

7.

Le Bois de Boulogne

8.

Le Centre Pompidou

On demande des directions à Paris

3.39

Quel touriste veut visiter quel endroit ?

Ecoute le CD et relie les points noirs.

1. Paul
2. Anne
3. Pierre
4. Sophie
5. François
6. Carine
7. Antoine
8. Nicole

- Le Jardin des Plantes
- La Tour Montparnasse
- Eurodisney
- La Gare de Lyon
- Le Cimetière du Père Lachaise
- Le Centre Commercial des Halles
- Le Bois de Boulogne
- Le Centre Pompidou

Les directions : les réponses

As you have seen on the previous pages, asking the way is really quite easy in French. Understanding the answer is much harder. You have to listen carefully and know the phrases that are likely to be used.

 Les directions

3.40 **Vous êtes en vacances dans une ville en France.**
Vous demandez des directions.
Il est très important de comprendre la réponse !

Allez tout droit.

Tournez à gauche.
Prenez la première rue à gauche.
C'est à gauche.

Tournez à droite.
Prenez la première rue à droite.
C'est à droite.

Vous êtes ici.

Les directions	
Allez tout droit	Go straight ahead
Tournez à gauche	Turn to the left
Tournez à droite	Turn to the right
C'est à gauche	It's on the left
C'est à droite	It's on the right
Prenez la première rue ...	Take the first street
Prenez la deuxième rue ...	Take the second street
Descendez la rue	Go down the street
Continuez jusqu'à ...	Keep going as far as
Traversez le pont	Cross the bridge
devant	in front of
juste après	just after
près de	near
en face de	opposite

Attention !
Don't confuse:
tout droit
and à droite.
Listen carefully!

– Pardon, Madame. Pour aller au musée, s'il vous plaît ?
– Pour aller au musée ... descendez la rue, traversez le pont et c'est la première rue à droite.

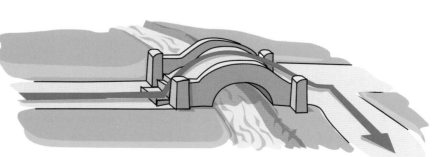

On arrive ici → musée

C'est quelle direction ?

 à gauche

 tout droit

 à droite

Des touristes en France

3.41 Six touristes demandent des directions dans une ville française. Ecoute ces conversations.
Complète le tableau.

1. – Pardon, Madame. Il y a un musée près d'ici ?
– Un musée ? Oui. Il y a un musée avenue Balzac.
– C'est loin ?
– Non, ce n'est pas loin. Tournez à droite et c'est après la poste.
– Merci, Madame.
– De rien, Monsieur.

1.

Hassan ⟶ le musée

2. – Pardon, Monsieur. Pour aller à la gare, s'il vous plaît ?
– La gare. La gare se trouve rue Marie Curie.
– C'est loin ?
– Non, ce n'est pas loin. Allez tout droit. C'est à dix minutes à pied d'ici.
– Merci, Monsieur.

2.

Anne ⟶ la gare

3. – Pardon, Madame. Où est l'église ?
– L'église se trouve place de la mairie.
– C'est loin ?
– Non, ce n'est pas loin. Tournez à gauche et c'est à cinq minutes d'ici.
– Merci, Madame.

3.

Thomas ⟶ l'église

4.

Marie ⟶ ?

5.

Luc ⟶ ?

6.

Nawar ⟶ ?

	Tourist	Destination	Direction given
1.	Hassan	Museum	Turn right. It's after the Post Office.
2.	Anne		Go straight ahead. It's ten minutes away.
3.	Thomas		
4.	Marie		Take first street on ...
5.	Luc		Go straight ahead and ...
6.	Nawar		

Un plan de la ville

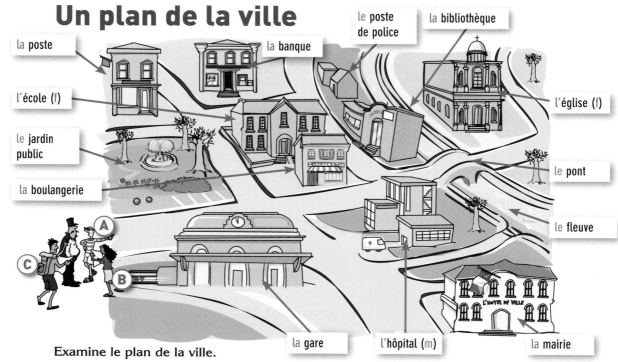

Examine le plan de la ville.

Sur le plan, tu vois les bâtiments suivants :

la poste, la banque, l'école, la boulangerie, la bibliothèque, le poste de police, l'église, l'hôpital, la gare et la mairie.

Tu vois aussi le jardin public, le fleuve et le pont.

Il y a trois touristes en ville : un Irlandais (A), une Espagnole (B) et un Italien (C). Ces touristes demandent leur chemin à un policier.

Où veut aller chaque touriste ?

Voici les trois réponses du policier.

Where does each tourist want to go? Read the policeman's reply and study the map. Write the destination of each tourist in the table.

Touriste	Réponse du policier	Destination
L'Irlandais	– Prenez la première rue à gauche, allez tout droit et c'est en face de la banque.	
L'Espagnole	– Prenez la première rue à droite, descendez la rue, prenez la deuxième rue à gauche et c'est à droite.	
L'Italien	– Descendez la rue, traversez le pont, prenez la première rue à gauche et c'est à gauche.	

 **Travail oral** Jeu de rôle : choisis un bâtiment sur le plan.

– Demande ton chemin à un(e) élève.
– L'autre élève répond avec les directions.

> Pardon, Monsieur. Pour aller à l'hôpital, s'il vous plaît ?

Bonjour, Madame !

1. When asking for directions, it is very important to begin by saying '**Bonjour, Monsieur/Madame**' or '**Pardon, Monsieur/Madame**'.
2. When somebody thanks you, it is polite to say '**Je vous en prie, Monsieur/Madame**' or '**De rien, Monsieur/Madame**'. They both mean 'Not at all'.

Des touristes demandent leur chemin à Paris

Lis les conversations suivantes.

Le Pont Neuf

1. **Conversation sur le Pont Neuf**
   – Bonjour, Madame. Pour aller au musée du Louvre, s'il vous plaît ?
   – Vous traversez le pont. Vous prenez le quai à gauche. Tournez dans la troisième rue à droite. Vous arrivez au Louvre.
   – Merci, Madame.
   – Je vous en prie, Monsieur.

2. **Conversation sur la place de la Bastille**
   – Pardon, Monsieur. Pour aller à la place des Vosges, s'il vous plaît ?
   – Alors, allez tout droit et prenez la deuxième rue à gauche. Allez tout droit et la place est à gauche.
   – Merci, Monsieur.
   – De rien, Madame.

La place de la Bastille

La place de la Concorde

3. **Conversation sur la place de la Concorde.**
   – Pardon, Madame. Je veux aller place de l'Opéra. Où est-elle, s'il vous plaît ?
   – Allez tout droit, Monsieur. Prenez la deuxième rue à droite. Allez tout droit. La place de l'Opéra est au bout de la rue.
   – Merci, Madame.
   – Je vous en prie, Monsieur.

Compréhension

Réponds à ces questions dans ton cahier.

1. To where does the first tourist want to go?
2. What directions must he take to get there?
3. To where does the second tourist want to go?
4. What directions must she take to get there?
5. To where does the third tourist want to go?
6. What directions must he take to get there?

Deux verbes irréguliers

Les verbes venir et savoir sont importants. Ils sont irréguliers.

1. Venir is the verb 'to come'.
2. Savoir is the verb 'to know'.
   – Tu viens au cinéma cet après-midi ?
   – Je ne sais pas. J'ai beaucoup de devoirs à faire.

VENIR	
Je	viens
Tu	viens
Il	} vient
Elle	
Nous	venons
Vous	venez
Ils	} viennent
Elles	

SAVOIR	
Je	sais
Tu	sais
Il	} sait
Elle	
Nous	savons
Vous	savez
Ils	} savent
Elles	

1.

Tu viens chez moi cet été ?

Je ne sais pas.

2.

Pour aller à la bibliothèque ?

Je ne sais pas. Je viens de Paris.

Il vient d'où ?

Nous ne savons pas.

3.

 Exercices

1. Les pronoms
Complète les phrases suivantes avec le bon pronom.
Put the correct pronoun before each verb.

1. ___Ils___ savent où est le musée.
2. Est-ce que _____ viens du parc ?
3. Sais- _____ où est l'église ?
4. _____ vient de Paris.
5. _____ venons du parking.
6. _____ viennent de la mairie.

2. Les verbes venir et savoir
Complète les phrases avec le verbe venir ou le verbe savoir à la forme correcte.

1. Tu _____ où est la Tour Eiffel ?
2. Vous _____ comment s'appelle ce musée ?
3. Victor _____ de Toulouse.
4. Mes parents _____ du cinéma.
5. Je _____ de la gare.
6. Tu _____ où est le Sacré-Cœur ?

Les verbes et les prépositions

Some verbs in French are followed by prepositions.
Two examples of this are aller and venir.

1. aller + à
2. venir + de

1. ALLER + à	2. VENIR + de
à — Je vais à Paris.	Je viens de Paris. — de
au — Il va au marché.	Il vient du marché. — du
à l' — Elle va à l'école.	Elle vient de l'école — de l'
à la — Nous allons à la piscine.	Nous venons de la piscine. — de la
aux — Ils vont aux magasins.	Ils viennent des magasins. — des

Exercices

1. Aller + à
Complète les phrases avec la forme correcte du verbe aller.

1. Je ___vais___ à Nice.
2. Il _____ au cinéma.
3. Tu _____ à l'hôpital.
4. Elles _____ au supermarché.

2. Venir + de
Complète les phrases avec la forme correcte du verbe venir.

1. Tu ___viens___ de Calais.
2. Il _____ de la poste.
3. Elle _____ du poste de police.
4. Je _____ de la ville.

3. Aller + à / Venir + de
Complète les phrases avec la bonne préposition à la forme correcte.

1. Pierre va ___à___ la bibliothèque.
2. Marie vient _____ musée.
3. Nous allons _____ parc.
4. Vous venez _____ gare.

Dans une ville typique ...

Lis les questions à choix multiple.

Pour chaque question, écris la bonne réponse (a, b, c ou d) dans la case.

1. Qui est-ce ?

- (a) C'est un élève.
- (b) C'est un touriste.
- (c) C'est un policier.
- (d) C'est un professeur.

2. Qu'est-ce que c'est ?

- (a) C'est un stade.
- (b) C'est un musée.
- (c) C'est une école.
- (d) C'est un marché.

3. Où va-t-il ?

- (a) Il va à la gare.
- (b) Il va à la mairie.
- (c) Il va à l'usine.
- (d) Il va à la station-service.

4. D'où vient-elle ?

- (a) Elle vient du marché.
- (b) Elle vient de l'église.
- (c) Elle vient du parc.
- (d) Elle vient de la bibliothèque.

5. Il est dans quel bâtiment ?

- (a) Il est au poste de police.
- (b) Il est à la poste.
- (c) Il est à la banque.
- (d) Il est au supermarché.

6. Où vont-ils ?

- (a) Ils vont au parc.
- (b) Ils vont à la mairie.
- (c) Ils vont à la piscine.
- (d) Ils vont à la gare.

Travail oral

Choisis une image.

Qu'est-ce que tu vois dans l' image ?

Exemple : « Image trois : je vois un homme. Il va à l'usine. »

J'aime ma ville

Aline écrit une lettre à
son correspondant irlandais, Enda.

Paris, le 30 novembre

Cher Enda,

Tu sais que j'habite à Paris. Je suis contente d'habiter dans la capitale.

J'aime mon quartier. J'habite dans le 11ᵉ arrondissement. C'est un quartier agréable.

Mon collège est près de chez moi, à 10 minutes à pied. Mes copains et copines habitent dans le quartier aussi.

Il y a une rue piétonne avec beaucoup de magasins près de chez moi. J'aime faire les magasins avec mes copines le samedi.

Quelquefois, le dimanche, je vais visiter un musée avec mes parents.

Et toi, dans quelle ville habites-tu ? Comment est ton quartier ? Quels bâtiments trouve-t-on dans ta ville ?

Ecris-moi bientôt.

Amitiés,

Aline

Compréhension

Lis la lettre d'Aline.

Vrai ou faux ? Coche (✓) la bonne case.

		Vrai	Faux
1.	Aline says that her area of Paris is pleasant.		
2.	Her school is 10 minutes from her home on the bike.		
3.	Many shops are to be found in a pedestrian street.		
4.	She visits a museum on Sundays with her friends.		
5.	Aline wants to know what buildings are in Enda's town.		

Ecris une lettre à Aline

Dans ta lettre, réponds à ses questions.

Write a letter to Aline, describing your town. Answer the questions she asks in the last paragraph.

1. Les bâtiments

Voici une liste des bâtiments et des lieux que l'on trouve dans une ville.

1. Jardin public
2. Hôpital
3. Bibliothèque
4. Cinéma
5. Eglise
6. Poste de police
7. Hôtel de ville
8. Auberge de jeunesse

9. Stade
10. Poste
11. Gare SNCF
12. Restaurant
13. Parking
14. Piscine
15. Ecole
16. Marché

You see in the list above the key to a street map.

Where would you go ...? Write the numbers in the circles.

1. ... to borrow a book   ③
2. ... to swim.   ○
3. ... to stay the night.   ○
4. ... to report lost property.   ○
5. ... to catch a train.   ○

6. ... to buy fruit.   ○
7. ... to relax in the sun.   ○
8. ... to see a football game.   ○
9. ... to say a prayer.   ○
10. ... to buy a stamp.   ○

2. Demander son chemin

Lis ce dialogue.

– Bonjour, Monsieur. Pour aller au musée, s'il vous plaît ?
– Prenez la deuxième rue à gauche, continuez tout droit, traversez le pont et c'est à côté de la mairie.
– Alors. ...la deuxième rue à gauche ... tout droit ... et, après le pont, c'est à côté de la mairie.
– C'est ça.
– C'est loin d'ici ?
– Pas trop loin. Vous êtes à pied ?
– Oui, je suis à pied.
– Alors, c'est à dix minutes d'ici.
– Merci, Monsieur. Au revoir.

Travail oral

Jeu de rôle :

1. **Deux élèves lisent le dialogue ci-dessus.**
2. **Ensuite, deux autres élèves continuent le jeu de rôle :**
   - **Ils demandent leur chemin pour aller vers un autre bâtiment.**
   - **Les directions changent aussi !**

Work in pairs. Students ask for and give directions to places in town.

Deux interviews : la ville où j'habite

Anne and Philippe sont interviewés sur Rouen, la ville où ils habitent.

Ils mentionnent quatre bâtiments ou lieux publics dans cette ville.

Ecris dans les cercles les nombres qui correspondent aux endroits menionnés.

Listen to the interviews and write down the numbers which stand for the buildings and public places which Anne and Philippe each mention.

3.42

Deux verbes : deux murs

Le voleur est de retour ! Replace les briques.

Test

C'est le moment de vérifier tes connaissances du Chapitre 14 !

Test 14

1. Les bâtiments en ville
Qu'est-ce que c'est ?

1. C'est une _____.

3. C'est une _____.

2. C'est une _____.

4. C'est un _____.

| 4 |

2. Les bâtiments et les lieux publics
Complète les blancs avec l'article défini (le, la, l' ou les).

1. _____ musée   3. _____ écoles

2. _____ poste de police   4. _____ marché

| 4 |

3. On demande son chemin
Complète les blancs avec au, à la, à l' ou aux.

1. – Pardon, Madame. Pour aller _____ piscine, s'il vous plaît ?
2. – Pardon, Monsieur. Pour aller _____ cinéma, s'il vous plaît ?
3. – Bonjour, Madame. Pour aller _____ hôpital, s'il vous plaît ?
4. – Bonjour, Monsieur. Pour aller _____ poste, s'il vous plaît ?

| 4 |

4. Les directions : les réponses
Complète avec la bonne direction.

1. Tournez à _____.

3. Allez tout _____.

2. Tournez à _____.

4. Traversez le _____.

| 4 |

5. Dialogue dans la rue
Cloze-test : complète le dialogue.
– Pardon, Monsieur. Pour aller _____ bibliothèque, s'il vous plaît ?
– Oh ! C'est très facile. Allez tout droit, prenez la première _____
  à gauche, et c'est à droite.
– C'est loin d'ici ?
– Non, ce n'est _____ loin. La bibliothèque est à dix
  minutes à pied d'ici.
– _____, Monsieur.
– Je vous en prie, Madame.

| 4 |

Ce test, comme tous les autres, est noté sur 20.

| Total | 20 |

Chapitre 14 : résumé

1. Vocabulaire

1. Les rues

un boulevard

une avenue

une impasse

une rue

une place

2. Les bâtiments

le cinéma	l'hôpital (m)	la banque	l'auberge de
le musée	le marché	la gare	jeunesse (f)
le supermarché	le parking	la bibliothèque	l'école (f)
le stade	le jardin public	la piscine	l'église (f)
le poste de police	l'hôtel de ville (m)	la poste	la station-service
le parc		l'usine (f)	la mairie

3. Les directions : les questions

1. – Le musée, s'il vous plaît

2. – Pardon, Madame. Où est le musée, s'il vous plaît ?

3. – Pardon, Madame. Il y a un musée près d'ici ?

4. – Bonjour, Monsieur. Pour aller au musée, s'il vous plaît ?

4. Les directions : les réponses

1. – Allez tout droit.

2. – Tournez à gauche.

3. – Tournez à droite.

4. – C'est à gauche.

5. – C'est à droite.

6. – Prenez la première rue à gauche.

7. – Prenez la deuxième rue à droite.

8. – Descendez la rue.

9. – Continuez jusqu'à la poste.

10. – Traversez le pont.

2. Grammaire

Deux verbes irréguliers : VENIR et SAVOIR

1.

VENIR	
Je	viens
Tu	viens
Il	vient
Elle	vient
Nous	venons
Vous	venez
Ils	viennent
Elles	viennent

2.

SAVOIR	
Je	sais
Tu	sais
Il	sait
Elle	sait
Nous	savons
Vous	savez
Ils	savent
Elles	savent

Où est le stade ?

Les verbes

This verb table section deals with verbs in the present tense.

It is structured as follows:

1. Three groups of regular verbs.
2. The two most important irregular verbs: être and avoir.
3. Twelve important irregular verbs.
4. Reflexive verbs.

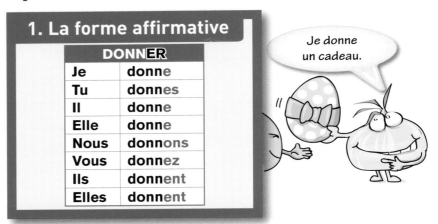

Les verbes sont importants !

1. Verbes réguliers

1. Verbes réguliers en –ER

About 4,000 verbs, ending in –ER in the infinitive, are conjugated like donner (to give).

1. La forme affirmative

DONN**ER**	
Je	donne
Tu	donnes
Il	donne
Elle	donne
Nous	donnons
Vous	donnez
Ils	donnent
Elles	donnent

Je donne un cadeau.

2. La forme négative

Je	ne	donne	pas
Tu	ne	donnes	pas
Il	ne	donne	pas
Elle	ne	donne	pas
Nous	ne	donnons	pas
Vous	ne	donnez	pas
Ils	ne	donnent	pas
Elles	ne	donnent	pas

3. La forme interrogative

Est-ce que **je donne** ?	
Donnes-tu ?	*
Donne-t-il ?	*
Donne-t-elle ?	*
Donnons-nous ?	*
Donnez-vous ?	*
Donnent-ils ?	*
Donnent-elles ?	*

* **Est-ce que tu donnes ?** etc.

2. Verbes réguliers en –IR

About 300 verbs, ending in –IR in the infinitive, are conjugated like finir (to finish).

1. La forme affirmative

FINIR	
Je	fin**is**
Tu	fin**is**
Il	fin**it**
Elle	fin**it**
Nous	fin**issons**
Vous	fin**issez**
Ils	fin**issent**
Elles	fin**issent**

Je finis mes devoirs.

2. La forme négative

Je	ne	finis	pas
Tu	ne	finis	pas
Il	ne	finit	pas
Elle	ne	finit	pas
Nous	ne	finissons	pas
Vous	ne	finissez	pas
Ils	ne	finissent	pas
Elles	ne	finissent	pas

3. La forme interrogative

Est-ce que je finis ?	
Finis-tu ?	*
Finit-il ?	*
Finit-elle ?	*
Finissons-nous ?	*
Finissez-vous ?	*
Finissent-ils ?	*
Finissent-elles ?	*

* **Est-ce que tu finis ? etc.**

3. Verbes réguliers en –RE

About 60 verbs, ending in –RE in the infinitive, are conjugated like vendre (to sell).

1. La forme affirmative

VENDRE	
Je	vend**s**
Tu	vend**s**
Il	vend
Elle	vend
Nous	vend**ons**
Vous	vend**ez**
Ils	vend**ent**
Elles	vend**ent**

Je vends des oignons !

2. La forme négative

Je	ne	vends	pas
Tu	ne	vends	pas
Il	ne	vend	pas
Elle	ne	vend	pas
Nous	ne	vendons	pas
Vous	ne	vendez	pas
Ils	ne	vendent	pas
Elles	ne	vendent	pas

3. La forme interrogative

Est-ce que je vends ?	
Vends-tu ?	*
Vend-il ?	*
Vend-elle ?	*
Vendons-nous ?	*
Vendez-vous ?	*
Vendent-ils ?	*
Vendent-elles ?	*

* **Est-ce que tu vends ? etc.**

2. Deux verbes irréguliers importants : ÊTRE et AVOIR

The verbs être (to be) and avoir (to have) are the most important verbs in French.

They are both irregular.

1. ÊTRE (to be)

1. La forme affirmative

Je	suis
Tu	es
Il	est
Elle	est
Nous	sommes
Vous	êtes
Ils	sont
Elles	sont

Je suis heureux !

2. La forme négative

Je	ne	suis	pas
Tu	n'	es	pas
Il	n'	est	pas
Elle	n'	est	pas
Nous	ne	sommes	pas
Vous	n'	êtes	pas
Ils	ne	sont	pas
Elles	ne	sont	pas

3. La forme interrogative

Suis-je ?	*
Es-tu ?	*
Est-il ?	*
Est-elle ?	*
Sommes-nous ?	*
Etes-vous ?	*
Sont-ils ?	*
Sont-elles ?	*

* **Est-ce que je suis ? etc.**

2. AVOIR (to have)

1. La forme affirmative

J'	ai
Tu	as
Il	a
Elle	a
Nous	avons
Vous	avez
Ils	ont
Elles	ont

J'ai deux ans.

2. La forme négative

Je	n'	ai	pas
Tu	n'	as	pas
Il	n'	a	pas
Elle	n'	a	pas
Nous	n'	avons	pas
Vous	n'	avez	pas
Ils	n'	ont	pas
Elles	n'	ont	pas

3. La forme interrogative

Ai-je ?	*
As-tu ?	*
A-t-il ?	*
A-t-elle ?	*
Avons-nous ?	*
Avez-vous ?	*
Ont-ils ?	*
Ont-elles ?	*

* **Est-ce que j'ai ? etc.**

3. Verbes irréguliers

You were introduced to twelve important irregular verbs in *Bienvenue en France 1*.

They are set out in the affirmative form in the following table.

1. ALLER (to go)	
Je	vais
Tu	vas
Il	va
Elle	va
Nous	allons
Vous	allez
Ils	vont
Elles	vont

2. VENIR (to come)	
Je	viens
Tu	viens
Il	vient
Elle	vient
Nous	venons
Vous	venez
Ils	viennent
Elles	viennent

3. FAIRE (to make/to do)	
Je	fais
Tu	fais
Il	fait
Elle	fait
Nous	faisons
Vous	faites
Ils	font
Elles	font

4. VOIR (to see)	
Je	vois
Tu	vois
Il	voit
Elle	voit
Nous	voyons
Vous	voyez
Ils	voient
Elles	voient

5. METTRE (to put)	
Je	mets
Tu	mets
Il	met
Elle	met
Nous	mettons
Vous	mettez
Ils	mettent
Elles	mettent

6. PRENDRE (to take)	
Je	prends
Tu	prends
Il	prend
Elle	prend
Nous	prenons
Vous	prenez
Ils	prennent
Elles	prennent

7. PARTIR (to leave)	
Je	pars
Tu	pars
Il	part
Elle	part
Nous	partons
Vous	partez
Ils	partent
Elles	partent

8. SORTIR (to go out)	
Je	sors
Tu	sors
Il	sort
Elle	sort
Nous	sortons
Vous	sortez
Ils	sortent
Elles	sortent

9. BOIRE (to drink)	
Je	bois
Tu	bois
Il	boit
Elle	boit
Nous	buvons
Vous	buvez
Ils	boivent
Elles	boivent

10. SAVOIR (to know)	
Je	sais
Tu	sais
Il	sait
Elle	sait
Nous	savons
Vous	savez
Ils	savent
Elles	savent

11. POUVOIR (to be able)	
Je	peux
Tu	peux
Il	peut
Elle	peut
Nous	pouvons
Vous	pouvez
Ils	peuvent
Elles	peuvent

12. VOULOIR (to wish/ want)	
Je	veux
Tu	veux
Il	veut
Elle	veut
Nous	voulons
Vous	voulez
Ils	veulent
Elles	veulent

4. Verbe pronominal

A reflexive verb is known, in French, as a **verbe pronominal**.

A reflexive verb indicates that the action is done to oneself : e.g. I wash myself.

A reflexive verb has **se** (or **s'**) in front of the infinitive.

Nearly all reflexives verbs are regular –ER verbs.

Study the verb **se laver** as an example of how to conjugate a reflexive verb.

SE LAVER

1. La forme affirmative

SE LAVER		
Je	me	lave
Tu	te	laves
Il	se	lave
Elle	se	lave
Nous	nous	lavons
Vous	vous	lavez
Ils	se	lavent
Elles	se	lavent

2. La forme négative

Je	ne	me	lave	pas
Tu	ne	te	laves	pas
Il	ne	se	lave	pas
Elle	ne	se	lave	pas
Nous	ne	nous	lavons	pas
Vous	ne	vous	lavez	pas
Ils	ne	se	lavent	pas
Elles	ne	se	lavent	pas

Je me lave.

Je ne me lave pas.

Lexique

A

	a (avoir) *(he/she)* has
	à to, at, in
	A bientôt ! See you soon!
	à côté de beside
	accueillir to welcome
une	**addition** bill
une	**affirmation** statement
	affirmatif(–ve) affirmative
l'	**âge (m)** age
une	**agence de voyages** travel agency
un	**agent (de police)** policeman
un	**agneau** lamb
	agréable pleasant
	Ah oui ! Oh yes!
	aider to help
l'	**ail (m)** garlic
	aimer to like, to love
	aller to go
	allez go
	Allô ! Hello *(telephone)*
	alors then
un(e)	**ami(e)** friend
	amicalement best wishes
	amitiés best wishes
les	**animations (f)** entertainment
	animé lively
une	**année** year
un	**anniversaire** birthday
	août August
un	**apéritif** drink before meal
un	**appartement** apartment
	appeler to call
	apprendre to learn
	après after
l'	**après-midi (m or f)** afternoon
	aquatique water *(sports)*
un	**arbre** tree
l'	**archipel (m)** archipelago
l'	**argent (m)** money
une	**armoire** cupboard
	arrêter to stop
l'	**arrière (m)** rear (of house)
	arriver to arrive
un	**arrondissement** district
	assez enough
une	**assiette** plate
	assis sitting
l'	**athlétisme (m)** athletics
	Attention ! Be careful!
	attendre to wait *(for)*
	attraper to catch
	au (à + le) to the
une	**auberge de jeunesse** youth hostel
	au bord de beside, on the edge of
	aujourd'hui today
	Au revoir ! Goodbye!
	Au secours ! Help!
	aussi also
une	**auto** motorcar
un	**autobus** bus
l'	**automne (m)** autumn
	autour de around
	autre other
	aux (à + les) to the
l'	**avant (m)** front (of house)
	avec with
une	**aventure** adventure
	avez (avoir) *(you)* have
un	**avion** aeroplane
	avoir to have
	avoir chaud to be warm
	avoir faim to be hungry
	avoir froid to be cold
	avoir lieu to take place
	avoir raison to be right
	avoir soif to be thirsty
	avoir tort to be wrong
	avoir peur to be afraid
	avril April

B

les	**bagages (m)** luggage
la	**bague** ring

la	**baguette** long thin loaf
la	**balançoire** swing
le	**ballon** ball, balloon
la	**banlieue** suburbs
la	**banque** bank
en	**bas** downstairs
le	**basket** basketball
les	**baskets (f)** runners
la	**basse-cour** farmyard
le	**bassin** pond
le	**bateau** boat
le	**bâtiment** building
les	**bâtons** ski sticks
la	**batterie** percussion drums
	bavard chatty
	bavarder to chat
	beau fine, handsome
	beaucoup (de) a lot (of)
la	**beauté** beauty
le	**beau-père** stepfather, father-in-law
le	**bébé** baby
	belle beautiful, pretty
la	**belle-mère** stepmother, mother-in-law
le	**beurre** butter
la	**bibliothèque** library
	bien well
	Bien à toi Best wishes
	Bien sûr! Of course!
	bientôt soon
	bienvenue welcome
la	**bière** beer
les	**biscottes** toast-like biscuits
la	**bise** kiss (on the cheek)
	bizarre strange
la	**blague** joke
	blanc(-che) white
les	**blancs (m)** blank spaces
se	**blesser** to be hurt
	bleu blue
	bleu marine navy blue
le	**blue-jean** blue jeans
le	**bœuf** beef
	boire to drink
la	**boîte** box
le	**bol** bowl
	Bon appétit! Enjoy your meal!
le	**bonbon** sweet
	Bonjour! Hello!
	Bonne année! Happy New Year!

	Bonne nuit ! Goodnight!
	Bonsoir ! Good evening!
au	**bord de** beside, on the edge of
la	**bouche** mouth
le	**boulanger** baker
la	**boulangerie** bakery
les	**boules (f)** bowls
la	**boum** party
la	**bouteille** bottle
la	**boxe** boxing
	boycotter to boycott
le	**bras** arm
	Bravo ! Well done!
le	**bricolage** DIY
le	**brin** sprig
la	**brique** brick
	bronzer to get a tan
le	**brouillard** fog
le	**bruit** noise
	brun brown
les	**bulles (f)** bubbles
le	**bulletin** school report
le	**bureau** office

C

le	**cadeau** present
le	**café** coffee, coffee shop
le	**café au lait** white coffee
la	**cafetière** coffee-pot
la	**cage** cage
le	**cahier** copybook
le	**camion** lorry
la	**camionnette** van
la	**campagne** country, countryside
le	**canard** duck
la	**cantine** canteen
le	**car** (school) bus
le	**carnet** notebook
les	**carottes (f)** carrots
le	**cartable** school-bag
la	**carte** map
la	**case** box
	Ça va ? How are things?
	Ça va Things are fine
la	**cave** cellar
	ce, cet, cette this, that
	célèbre famous
	Cendrillon Cinderella
	cent one hundred

les **céréales (f)** breakfast cereal
ces these, those
la **chaise** chair
la **chambre** bedroom
un **champ** field
les **champignons (m)** mushrooms
la **chance** luck
chargé(e) busy
chaque each
le **chat** cat
le **château** castle
chaud hot, warm
les **chaussettes (f)** socks
les **chaussures (f)** shoes
le **chemin** road, way, directions
la **chemise** shirt
le **chemisier** blouse
chercher to look for
le **cheval** horse
les **cheveux (m)** hair
la **chèvre** goat
chez elle at her house
chez lui at his house
chez moi at my house
chez nous at our house
chic stylish, smart
le **chien** dog
le **chocolat chaud** hot chocolate
choisir to choose
le **choix** choice
le **chou** cabbage
chouette nice, fantastic
le **chou-fleur** cauliflower
le **ciel** sky
le **cinéma** cinema
le **cimetière** cemetery
cinq five
cinquante fifty
le **cirque** circus
la **clé USB** memory stick
le/la **client(e)** customer
cocher to tick
le **cochon** pig
le **cochonnet** jack (bowling)
le **cœur** heart
en **colère** angry
le **collège** college
la **colline** hill
les **commandes (f)** orders

comme as, like
comment how
comprendre to understand
compter to count
communiquer to communicate
la **confiture** jam
les **connaissances** knowledge
connaître to know
conserver to keep in, to preserve
content(e) happy
le **copain** friend (male)
la **copine** friend (female)
le **coq** cock
la **coque** shell
un(e) **correspondant(e)** pen-pal
la **côte** chop
le **cou** neck
se **coucher** to go to bed
la **cour** (school) yard
courageux(-se) brave
courir to run
le **cours** class
la **course** race
les **courses (f)** shopping
court(e) short
le **cousin** cousin (male)
la **cousine** cousin (female)
le **couteau** knife
couvert dull, overcast
couvert(e) de covered in
la **cravate** tie
le **crayon** pencil
la **crème** cream
la **crêpe** pancake
crier to shout
les **croissants (m)** breadrolls
les **crudités (f)** salads
la **cuillère** spoon
la **cuisine** kitchen, cooking
cultiver to grow

D

D'accord OK
dans in
la **danse** dance
danser to dance
de of, from
débarrasser to clear (the table)
le **débutant** beginner

décembre December
décrire to describe
le **défilé** fashion show
dehors outside
déjeuner to have lunch
le **déjeuner** lunch
délicieux(–se) delicious
demain tomorrow
et **demi(e)** half past
le **demi-frère** stepbrother
la **demi-sœur** stepsister
la **dent** tooth
le **département** French county
se **dépêcher** to hurry
de rien not at all
derrière behind
des some
des (de + les) of the
descendre to get off, to descend
en **désordre** untidy
le **dessert** dessert
les **dessins animés (m)** cartoons
de **temps en temps** sometimes
détester to hate
deux two
devant in front of
les **devoirs (m)** homework
d'habitude usually
dire to say, to tell
dimanche Sunday
dîner to dine
le **dîner** dinner
se **diriger vers** to head towards
la **discothèque** disco
discuter to discuss
distrait absent-minded
dix ten
dix-huit eighteen
dix-neuf nineteen
dix-sept seventeen
Dommage ! What a pity!
doux(–ce) gentle, soft
la **durée** length of time

E

l' **eau (f)** water
un **échange** exchange
une **école** school
écouter to listen to

écris write (command)
Edouard Edward
elle she
elles they (f)
effrayé(e) frightened
une **église** church
élégant(e) well-dressed
un(e) **élève** pupil
une **émission** tv programme
en in
en bas downstairs
encore still, yet
en face de opposite
un(e) **enfant** child
en forme fit
en haut upstairs
en route on the journey
énorme enormous
ensuite next, then
entier entire
entre between
une **entrée** starter, entrance
entrer to enter
environ approximately
une **époque** era
épuisé(e) exhausted
une **équipe** team
l' **équipement (m)** equipment
l' **équitation (f)** horse-riding
une **erreur** mistake
es (être) (you) are
l' **escalier (m)** stairs
un **escargot** snail
espérer to hope
essayer to try
est (être) (he/she) is
l' **est (m)** east
et and
un **étage** storey, floor
l' **été (m)** summer
êtes (être) (you) are
être to be
étudier to study
exactement exactly
excité(e) excited
Excusez-moi Excuse me

F

	fabriquer to manufacture
se	**fâcher** to get angry
	facile easy
	faim (avoir faim) to be hungry
	faire to make, to do
la	**famille** family
la	**farine** flour
	fatigué(e) tired
le	**fauteuil** armchair
	faux(–sse) false
la	**femme** woman, wife
la	**fenêtre** window
la	**ferme** farm
le	**fermier (m)** farmer
la	**fermière (f)** farmer
la	**fête** holiday, feast day
	fêter to celebrate
le	**feu** fire
le	**feu d'artifice (m)** fireworks
la	**feuille** leaf, page
le	**feuilleton** TV serial
	février February
le	**fiacre** cart
la	**ficelle** string, long thin loaf
la	**fille** girl, daughter
le	**film d'espionnage** spy film
le	**fils** son
	finir to finish
la	**fleur** flower
le	**fleuve** river
	folle (f) mad, silly
	fondu melted
	font (faire) *(they)* make/do
la	**forêt** forest
en	**forme** fit
la	**forme** form
	formidable fantastic
	fou (m) mad, silly
la	**fourchette** fork
la	**fraîcheur** coolness, freshness
le	**frère** brother

G

	gagner to win
les	**gants (m)** gloves
le	**garçon** boy
la	**gare** station
le	**gâteau** cake
à	**gauche** on the left
il	**gèle** it is freezing
le	**gendarme** policeman
	généalogique genealogical
	généreux (–se) generous
les	**gens (m)** people
	gentil (–le) nice, kind
la	**glace** ice cream
	glisser to slide, to surf
	gourmand(e) greedy
le	**gourmet** food lover
les	**goûts (m)** tastes, interests
	goûter to taste
la	**grand-mère** grandmother
le	**grand-père** grandfather
les	**grands-parents** grandparents
le	**grenier** attic
la	**grenouille** frog
	gris grey
	gros (–se) big, fat
la	**guerre** war
	Guillaume William
le	**gymnase** gymnasium
la	**gymnastique** gymnastics

H

s'	**habiller** to get dressed
un(e)	**habitant(e)** inhabitant
	habiter to live in
les	**haricots verts** beans
en	**haut** upstairs
l'	**heure (f)** time
	heureux (–se) happy
une	**hirondelle** swallow (bird)
l'	**hiver (m)** winter
un	**homme** man
un	**hôpital** hospital
un	**horaire** timetable
une	**horloge** clock
un	**horloger** clock-maker
l'	**hôtel de ville (m)** town hall
l'	**huile (f)** oil
	huit eight

I

	ici here
	identifier identify
une	**île** island

	il he	
	ils (m) they	
	il y a there is/are	
	imiter to imitate	
un	**immeuble** block of flats	
une	**impasse** cul-de-sac	
	indiquer to indicate	
une	**infirmière** nurse	
les	**informations (f)** the news	
un	**ingénieur** engineer	
	intéressant interesting	
l'	**intérieur (m)** interior	
l'	**intrus (m)** odd one out	

J

le	**jambon** ham
	janvier January
le	**jardin** garden
	jaune yellow
	je I
le	**jean** jeans
le	**jeu** game
	jeudi Thursday
	jeune young
les	**jeux vidéo (m)** video games
	je vous en prie not at all
	joli(e) pretty
	jouer to play
le	**jouet** toy
le	**joueur** player
le	**jour** day
le	**jour de l'An** New Year's Day
le	**journal** newspaper
la	**journée** day
	joyeux (–se) happy
	juillet July
	juin June
la	**jupe** skirt
le	**jus de fruit** fruit juice
le	**jus d'orange** orange juice
	jusqu'à as far as

L

	la (f) the
	là there
le	**lait** milk
la	**lampe** lamp
le	**lapin** rabbit
	large wide

la	**lavande** lavender
se	**laver** to wash oneself
	le (m) the
le	**lecteur DVD** DVD player
le	**lecteur MP3** MP3 player
la	**lecture** reading
les	**légumes (m)** vegetables
	les the
la	**lessive** washing clothes
	leur their
	leurs their
se	**lever** to get up
la	**ligne** line
	lire to read
	lis read (command)
le	**lit** bed
le	**livre** book
le	**logement** accommodation, dwelling
	loin far
	loin de far from
les	**loisirs (m)** pastimes
	louer to rent
	lundi Monday
les	**lunettes (f)** spectacles

M

	ma my
	Madame Mrs, Ms
le	**magasin** shop
	magnifique magnificent
	mai May
le	**mail** email
le	**maillot** jersey
la	**main** hand
	maintenant now
la	**mairie** town hall
	mais but
la	**maison** house
	mal badly
	malade ill
	manger to eat
le	**mannequin** model
le	**manteau** coat
le	**marché** market
	mardi Tuesday
le	**mari** husband
la	**marque** brand
	marquer to mark
	marron (invariable) brown

	mars March	
le	**matériel** equipment	
le	**matin** morning	
	mauvais bad	
les	**meilleur(e)s** the best	
le	**mél** email	
	mélanger to mix	
	mélangé mixed, jumbled	
le	**membre** member	
la	**mer** sea	
	merci thanks	
	mercredi Wednesday	
la	**mère** mother	
	mes my	
	mesurer to measure	
la	**météo** weather forecast	
	mettre to put (on)	
les	**meubles (m)** furniture	
	midi noon	
le	**militaire** soldier	
	mille one thousand	
	mince thin	
	minuit midnight	
la	**mobylette** moped	
la	**mode** fashion	
	moi me, I	
le	**moine** monk	
	moins less	
	mon my	
le	**monde** world	
le	**moniteur** instructor (male)	
la	**monitrice** instructor (female)	
	Monsieur, M. Sir, Mr	
la	**montagne** mountain	
	monter to climb	
la	**montre** watch	
	montrer to show, to point to	
le	**morceau** piece	
la	**moto** motorbike	
les	**mots croisés** crosswords	
les	**moules (f)** mussels	
la	**moutarde** mustard	
le	**mouton** sheep, mutton	
la	**musique** music	

N

un(e)	**nageur(-se)** swimmer	
la	**naissance** birth	
la	**natation** swimming	

	ne ... pas not	
la	**neige** snow	
	neiger to snow	
	neuf nine	
	neuf(-ve) brand new	
le	**neveu** nephew	
le	**nez** nose	
la	**niche** kennel	
le	**nid** nest	
la	**nièce** niece	
	noir dark, black	
le	**nom** name	
	nombreux numerous, many	
	non no	
le	**nord** north	
	normalement usually	
	nos our	
	noter to mark	
la	**note** mark (in exam)	
	notre our	
	nous we	
	nouveau(-elle) new	
	novembre November	
le	**nuage** cloud	
la	**nuit** night	
le	**numéro** number	

O

un	**objet** object	
	occupé(e) busy	
	octobre October	
un	**œuf** egg	
	Oh la la ! Oh dear!	
un	**oiseau** bird	
un	**olivier** olive tree	
	on one (subject pronoun)	
un	**oncle** uncle	
	ont (avoir) (they) have	
	onze eleven	
l'	**or (m)** gold	
	orange orange	
un	**ordinateur** computer	
une	**oreille** ear	
un	**oreiller** pillow	
un	**orgue** organ	
un	**os** bone	
	ou or	
	où where	
	oublier to forget	

l'   **ouest (m)** west
oui yes
ouvert open

P

le   **pain** bread
le   **pain grillé** toast
le   **panier** basket
le   **pantalon** trousers
le   **papillon** butterfly
par through, by
par an per year
le   **parapluie** umbrella
le   **parc** park
paresseux (–se) lazy
le   **parfum** perfume
le   **parking** parking space
parler to speak
partir to leave
partout everywhere
pas de ... no...
pas du tout not at all
passer to spend
le   **passe-temps** pastime
passionné(e) par interested in
la   **pâtisserie** cake, cake-shop
le   **patron** owner, boss (male)
la   **patronne** owner, boss (female)
pauvre poor
le   **pavillon** bungalow
le   **pays** country
le   **paysage** landscape, scenery
la   **pêche** fishing
pêcher to fish
peindre to paint
le   **peintre** painter
la   **pelouse** lawn
pendant during
la   **pendule** clock
le   **pense-bête** checklist, reminder
perdre to lose
le   **père** father
le   **Père Noël** Santa Claus
la   **personne** person
peser to weigh
la   **pétanque** bowling
petit small
le   **petit ami** boyfriend
la   **petite amie** girlfriend

le   **petit déjeuner** breakfast
les   **petits pois** peas
la   **phrase** sentence
la   **pièce** room
à   **pied** on foot
le   **ping-pong** table tennis
le   **pique-nique** picnic
la   **piscine** swimming pool
la   **piste** (ski) slope
pittoresque picturesque, colourful
le   **placard** cupboard
la   **place** square
la   **plage** beach
le   **plan** town plan
la   **planche à voile** wind-surfing
le   **plat** course in meal
il   **pleut** it is raining
il   **pleut à verse** it is pouring with rain
la   **pluie** rain
le   **poids** weight
pointu pointed
le   **poisson** fish
un   **poisson d'avril** April Fool!
le   **poivre** pepper
la   **pomme** apple
la   **pomme de terre** potato
le   **pont** bridge
le   **porc** pork
le   **portable** mobile phone
la   **porte** door
la   **porte d'entrée** front door
porter to carry, to wear
poser to ask (a question)
la   **poste** post office
le   **poste de police** police station
le   **pot** jug
le   **potage** soup
la   **poule** hen
le   **poulet** chicken
pour for
pousser to push
pouvoir to be able
la   **praire** meadow
pratiquer to practise, to play (sport, hobby)
précédent previous
préféré favourite
préférer to prefer
premier first
prendre to take

	prenez (prendre) (you) take	
le	**prénom** first name	
	près de near	
se	**présenter** to introduce oneself	
	pressé(e) in a hurry	
	prêt(e) ready	
on	**prévoit** one forecasts	
le	**printemps** spring	
le	**prix** price	
à	**prix fixe** at a fixed price	
	prochain next	
le	**professeur** teacher	
le	**projet** plan, project	
la	**promenade** walk	
le	**pronom** pronoun	
le/la	**propriétaire** owner	
les	**provisions (f)** food items	
	Puis-je ? Can I?	
le	**pull-over** pullover	
	punir to punish	
	pur(e) pure, clear	
le	**pyjama** pyjamas	

Q

	quand when
	quarante forty
et	**quart** quarter past
le	**quartier** district, area
	quatorze fourteen
	quatre four
	Quel ? (m) Quelle ? (f) What? Which?
	Qu'est-ce que... ? What...?
la	**queue** tail
	qui who
	quinze fifteen
	quitter to leave

R

le	**raisin** grapes
	râpé(e) grated
se	**rappeler** to recall, to remember
la	**raquette** racket
se	**raser** to shave
le	**rayon** shelf
la	**recette** recipe
	regarder to look at
la	**règle** ruler
	relier to link, to join up
la	**religieuse** type of bun

	remplir to fill
	rencontrer to meet
la	**rentrée** school reopening
	rentrer to return
	réparer to repair
le	**repas** meal
	répéter to repeat
	replacer to replace, to put back
	répondre to reply, to answer
la	**réponse** answer
se	**reposer** to rest
le	**restaurant** restaurant
	rester to stay
le	**résumé** summary
en	**retard** late
	retirer to withdraw (money)
	se retrouver to meet up
le	**réveil** alarm clock
se	**réveiller** to wake up
le	**réveillon** Christmas meal
	rêver to dream
la	**revue** magazine
le	**rez-de-chaussée** ground floor
la	**rive** bank (of river)
la	**rivière** river
le	**riz** rice
la	**robe** dress
le	**roller** rollerblading
	romain(e) Roman
le	**roman** novel
	rose pink
	rosé pinkish wine
	rôti roast
	rouge red
	rougir to blush
	roux red (hair)
la	**rue** street
le	**ruisseau** stream

S

	sa his/her
le	**sable** sand
	saisir to grab
la	**saison** season
la	**salle à manger** dining-room
la	**salle de bains** bathroom
la	**salle de séjour** living-room
le	**salon** sitting-room
la	**salopette** ski pants

Salut ! Hello!

la **salutation** greeting

samedi Saturday

sans without

le **saucisson** salami

le **saumon fumé** smoked salmon

savoir to know

savoyarde from Savoy

sec (sèche) dry

seize sixteen

le **séjour** holiday

le **sel** salt

sept seven

septembre September

la **série** series

serrer to squeeze

serrer la main to shake hands

le **serveur** waiter

la **serveuse** waitress

ses his/her

similaire similar

six six

le **ski** skiing

le **skieur** skier

le **ski nautique** water skiing

la **sœur** sister

soif (avoir soif) to be thirsty

le **soir** evening

soixante sixty

soixante-dix seventy

le **soldat** soldier

le **soleil** sun

sommes (être) (we) are

le **sommet** summit

son his/her

le **sondage** survey

sonner to ring

sortir to go out

la **soucoupe** saucer

la **souris** mouse

sous under

le **souvenir** souvenir

souvent often

sportif (–ve) fond of sports

le **stade** stadium

la **station de ski** ski resort

la **station-service** service station

le **stylo** pen

le **sucre** sugar

le **sud** south

je **suis** I am

suivant(e)(s) following

le **sujet** subject, topic

au sujet de concerning

super fantastic

le **supermarché** supermarket

sur in

surtout especially

le **survêtement** tracksuit

sympa nice

T

ta your

la **table** table

la **table de nuit** dressing-table

le **tableau** picture, grid, table

la **taille** size

le **tambour** drum

la **tante** aunt

le **tapis** carpet

la **tartine** slice of bread

la **tasse** cup

le **taureau** bull

le **tee-shirt** T-shirt

le **téléphone portable** mobile phone

le **temps** weather

de **temps en temps** sometimes

la **terminaison** ending

terminé finished

la **terrasse** terrace, balcony

la **terre** earth

tes your

la **tête** head

têtu(e) stubborn

le **thé** tea

timide shy

la **toilette** washing (oneself)

les **toilettes (f)** toilets

la **tombe** grave

tomber to fall

ton your

toujours always, still

le **Tour de France** Tour de France

la **Tour Eiffel** Eiffel Tower

le **tournoi** tournament

la **Toussaint** All Saints' Day, Hallowe'en

tout le monde everybody

tout droit straight ahead

à **toute vitesse** at full speed
la **tranquillité** peacefulness
travailler to work
traverser to cross
treize thirteen
tremper to steep, to dip
trente thirty
très very
triste sad
trois three
trop too much
la **truite** trout
tu you

U

un(e) a, one
une **usine** factory
utiliser to use

V

la **vache** cow
la **vague** wave
la **vaisselle** washing-up
la **valise** suitcase
varié(e)s varied
le **veau** calf, veal
le **vélo** bicycle
vendre to sell
vendredi Friday
venir to come
vérifier check, verify
le **verre** glass
vers towards, about
à **verse** pouring *(rain)*
vert green
la **veste** jacket
le **vestibule** hall
les **vêtements (m)** clothes
le **vétérinaire** vet
veut (vouloir) *(he/she)* wishes
la **viande** meat
la **vie** life
vieux (vieille) old
les **vignes (f)** vines
le **vignoble** vineyard
vilain(e) naughty, bold
la **ville** town
le **vin** wine
vingt twenty
violet (–te) purple
vite quick, quickly
la **vitrine** shop window
vive long live
Voici Here is/are
Voilà This is...
la **voile** sailing
le **voilier** yacht
voir to see
le/la **voisin(e)** neighbour
la **voiture** car
voler to fly, to steal
les **volets (m)** shutters
le **voleur** thief
vont (aller) *(they)* go
votre your
vos your
vouloir to wish, to want
vous you
le **voyage** journey
voyager to travel
les **voyages (m)** travel
vrai(e) true
la **vue** view

Y

le **yaourt** yogurt
Y a-t-il ? Is/Are there?
les **yeux (m)** eyes

Z

Zut ! Damn it!

Résultats des tests

En France, les tests sont notés sur 20.

In France, all tests are marked out of 20.

There are 14 tests in **Bienvenue en France 1**, one at the end of each chapter.

When you have completed a test, enter your total mark (out of 20) on this page.

As you proceed through the tests, draw the graph. This will help you to monitor your progress.

Bonne chance !

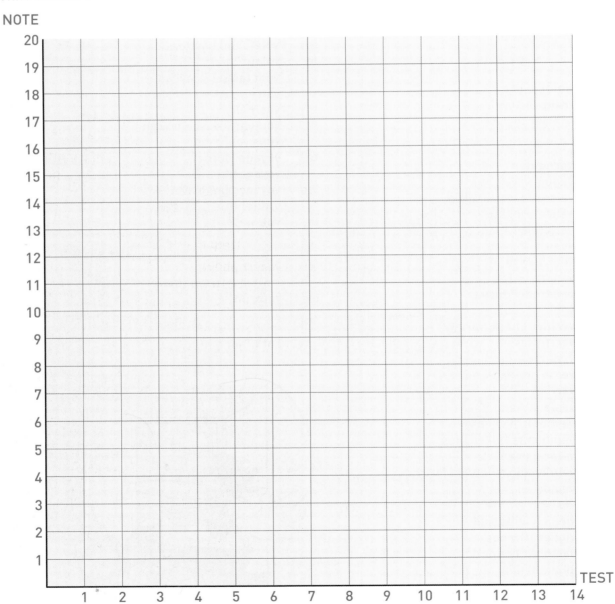